3年後に世界が中国を破滅させる

日本も親中国家として滅ぶのか

福井県立大学教授
島田洋一

ビジネス社

推薦の辞

気鋭の学者、島田洋一氏が喝破する。

「ナチスには海軍力がなく、ソ連には経済力がなかった。中国はその両方を兼ね備えた文明史上最大の脅威だ」

にもかかわらず氏は、習近平の中国共産党は3年後に滅びると断ずる。

中国を追い込む米国の気迫は米中対立がもはや譲りようのない価値観の闘い、民主主義対ファシズムの対決になったことに由来する。中国共産党が制すれば、自由と民主主義を基とする文明は押し潰される。

そうなってはならない、日本は立ち位置を明確にせよと島田氏は警告する一方で、中国との対峙において根源的な原則部分でトランプ米大統領の基軸が如何に堅固であるかを強調し、日本はトランプ氏を揶揄する通説に惑わされてはならないと説く。

自由、民主主義の価値観を守る闘いは長く厳しいものになるだろう。本書はコロナ後の複雑な世界情勢を読み解き日本の進むべき道を教えて余りある一冊だ。

櫻井　よしこ

はじめに――習近平は眠りを殺した

未来永劫《えいごう》続くかに見えた、それどころか一時は世界を制覇するかの勢いを見せたソ連も、人間でいえば七四歳で寿命を終えた。ロシア革命が一九一七年、ソ連崩壊が七四年後の一九九一年である。

中華人民共和国すなわち中国共産党政権は一九四九年に誕生し、今年（二〇二〇年）、七一歳を迎える。ソ連の例に倣えば、三年後の二〇二三年に寿命が尽きる計算になる。

「三年後」にはもう一つの根拠がある。情報隠しで甚大な犠牲を出したチェルノブイリ原発事故からベルリンの壁崩壊（一九八九年一一月九日）までが三年強だった。

ソ連の最高権力者ミハイル・ゴルバチョフ共産党書記長（当時）は、政治局秘密会議の席上、チェルノブイリにおける被害の拡大は「驚嘆すべき無責任に起因する。……既存エリート層は、卑屈とおもねり、異論を唱える者の迫害、うわべの取り繕いに支配されている」と論難、「古いシステムにはもうどんな可能性も残っていない」と断じた。これらすべてが、自由な言論を抑圧し、武漢《ぶかん》ウイルスを世界に拡散させた中国の習近平《しゅうきんぺい》体制にも当てはまる。

冷戦終結の最大功労者の一人ロナルド・レーガン米大統領は、現職時代、ソ連を「悪の帝国」と呼び、ミサイル防衛網を含む軍備充実を唱え、「冷戦を勝利で終わらせる」と宣言したことで、リベラル派から嘲笑《ちょうしょう》され、非難された。ソ連崩壊といったありえない目標を掲げ、空想的な「スターウォーズ計画」を大まじめに発表し、対決路線に突き進むとはあまりに愚かで危険というわけである。

しかしソ連指導部の反応は違った。アメリカの大統領が自信に満ちてミサイル迎撃計画をぶち上げる以上、「テクノロジー面でのブレイクスルーがあったのではないかと怖れた」(当時の駐米ソ連大使)。公開された内部文書によると、ゴルバチョフは政治局会議において、ソ連は技術的・財政的にレーガン計画に対抗できず、決定的な戦略的劣位に陥るとの危惧《きぐ》を表明している。

中国共産党指導部もおそらく、アメリカ内外のリベラル派が「トランプは愚かで危険」と非難すればするほど、内心の不安と焦燥を募らせているのではないか。アメリカを本気に怒らせて安らかな眠りはない。マクベスをもじれば、「習近平は眠りを殺した」。

ソ連崩壊の翌年、共和党大会で演説に臨んだ、前大統領レーガンは次のように述べている。

民主党指導部にはどうしても分からないことをわれわれは当時から理解していた。アメリカが力と決意を取り戻したからといって空が落ちては来ない。アメリカの大統領が真実を語ったからといって空が落ちては来ない。唯一落ちてきたのは、ベルリンの壁だった。

レーガンの冷戦戦略については、ソ連の産業スパイ作戦にカウンター攻撃で対抗した例なども含め、第6章で詳しく取り上げた。中国との「新冷戦」を戦う上で参考になる点が多々あるはずである。

当時レーガンを「危険なカウボーイ」と論難したリベラル派の一人がジョー・バイデン上院議員（民主党）だった。仲の良いロバート・ゲイツ元国防長官が言うとおり、「ジョーは重要な外交、安全保障問題で判断を間違い続けてきた」のである。そのバイデンを二〇二〇年の大統領候補に選んだ民主党では、近年、左派が急激に勢いを増している。

象徴的存在が「民主党の火付け役（firebrand）」あるいは左派のジャンヌ・ダルクと呼

ばれる若手のアレクサンドリア・オカシオコルテス下院議員である。アメリカでは、彼女がニュースにならない日はないと言ってよい。極左だが明るく開放的な性格で、その影響力は侮れない。

バイデンは認知症の進行が取りざたされるが、それがまた「自分たちがコントロールできる」と左派における支持率を押し上げる倒錯現象を生んでいる。

バイデン、オカシオコルテスの二人に加え、民主党政権になれば重きをなすと見られるバーニー・サンダース、カマラ・ハリス、エリザベス・ウォレン三上院議員、スーザン・ライス元大統領安保補佐官らについても第4章で詳しく紹介した。

サンダースは実態として日本国憲法の信奉者である。すなわち他国の防衛に米軍が関与してはならないと強く主張する。世界に平和憲法を広げたいという人々がいるが、アメリカが「平和憲法」を採用すれば日本はただちに危うくなる事情が、彼の議論を見るとよく分かる。

ジャマイカ人の父とインド人の母を持つハリスは、クールビューティが「売り」だったが、人種問題でバイデンに感情的に喧嘩《けんか》を売り、無理な論法がたたって大統領予備選の序盤で自滅した。検事出身で、性的少数者（ＬＧＢＴＱ）の権利拡大を何よりの業績と誇るが、外交安保分野は全くの未知数である。

ウォレンは、白人ながら「アメリカン・インディアン」を詐称し、大学の「教員の多様性確保」方針に便乗してハーバード大教授になったとの疑惑が、自ら受けたDNA検査で証明され、保守派の憫笑《びんしょう》とリベラル派の怒り（なぜDNA検査を受けたのか）を買った。サンダースと並んで、内外政策すべてにおいて上院の最左派に位置する。

ライスは、オバマ大統領の安保補佐官として在任中は、「北朝鮮の核武装は絶対に認めない」と繰り返していたが、退任後一転、「北を核保有国と認めて平和共存を図るべき」と主張し、元々無きに等しかった信頼度をさらに落とした。

以上、民主党の有力者は実に多士済々である。第4章では彼らの生態に加え、「警察の資金を断て」論、急進的な脱炭素論、安保論などについても、実例に即して記述した。

米リベラル派は二〇一六年の大統領選で「あのトランプ」に負けたことがどうしても受け入れられず、以来、無理な陰謀論や些末《さまつ》な揚げ足取りに血道を上げてきた。アメリカの大手メディアは、ウォールストリート・ジャーナル紙、FOXニュースなど一部を除いて、軒並み民主党支持、反トランプである。

それら米主流メディアの論説をより単純化して受け売りする日本のメディア（産経など例外はある）に情報を頼ると、間違いなくアメリカ認識を誤ることになる。本書では、トランプ大統領を支持する保守派の言動にも留意し、バランスを取ることに努めた。

中国政府は、その人権抑圧を批判されるたびに、「アメリカこそ黒人がひどく差別され、警察の暴力が横行する非人権国家だ」と言い返すのを常とする。荒れ狂う反警察運動の実態とそれを取り巻く状況を知ることは、現代アメリカを理解する上でも、中国のプロパガンダに対抗する意味でも非常に重要である。

「黒人差別に抗議」を掲げた極左主導の暴動や略奪が起こるのは、おしなべてリベラル派の知事や市長がいる地域である。「トランプが対立を煽《あお》るから暴動になる」が事実なら、トランプ支持の首長がいる地域がまず業火に包まれねばならないはずだが、事態は逆である。なぜそうなるのか。まずしっかり押さえるべきはファクトだろう。

建設的な警察批判は当然あるべきだが、いわれなき誹謗《ひぼう》中傷で警察が意気阻喪し、活動を不活発化させれば、最も喜ぶのは犯罪者でありテロリストである。そして最も被害に遭うのはまじめに働く弱い立場の人々である。その中には多くの黒人が含まれる。第3章で掘り下げた。

中国共産党が、日米分断を狙《ねら》って展開するプロパガンダが「世界反ファシズム戦争」論である。日本とナチス・ドイツによる侵略に、中国共産党とアメリカ、ソ連が団結して立ち向かい、世界をファシズムの支配から救ったという歴史観を指す。

そこから、アメリカと中国は本来同志であり、多少の行き違いは乗り越え、手を携えて日本のような潜在敵を抑え込まねばならないという対米アピールが発せられる。

しかし政治学的には、現代中国こそファシズムの典型である。相手の精神的武装解除を狙った「歴史攻勢」に足をすくわれないためにも、ファシズムの正確な理解は、特に日本において喫緊の重要性を持つ。

第1章の中で、ヒトラーやムソリーニの議論にも触れつつ、歴史的視点から解説を加えた。この章では、中国の「戦狼外交」の背景や、香港、ウイグル、台湾、尖閣をめぐる米中の動きも取り上げている。


トランプ政権の国連人権理事会および世界保健機関（ＷＨＯ）脱退は、日本では、「またトランプが世界の重要課題に背を向けた」と批判的に論評されるのが普通である。しかしいずれの脱退も、中国の策動と密接に絡んでいる。いまだ国連信仰に安住している日本では、その意味が十分理解されていない。第2章の後半で「脱退する側の論理」を解説した。

トランプはたしかにアメリカの大統領として型破りである。自ら、「予測不能が私の最大の武器だ」と胸を張ってきた。かつての側近、ジョン・ボルトン前大統領安保補佐官は、二〇二〇年六月に出した回顧録で、トランプ外交は「本能と思い付きだけ」と批判する。しかしボルトン回顧録を、全体を通して子細に読むと、そこにはトランプ独特の戦略性も浮かび上がってくる。

例えば米中首脳会談の場で、トランプが「私については、大統領は二期までという憲法上の縛りを外してほしいとの声がある」とホラを吹き、習近平の欺瞞《ぎまん》的提案に賛成するかのごとき態度を取った。そこだけ取り出して見れば、理念も節操もない何と愚鈍な男かという印象になる（米メディアがやっていることが、まさにそれである）。

ところがこの首脳会談の前にトランプ政権は、中国共産党を全面批判した「ペンス演説」を発出している。ボルトンによれば、ペンス副大統領、ボルトンと共にトランプが事前に一字一句チェックしたという。

首脳会談の場でも最後にトランプは、対中強硬派のライトハイザー通商代表に発言させた上、この男を米側の交渉代表にすると宣言している。数日後、不満を漏らした宥和《ゆうわ》派のムニューシン財務長官を、「この問題ではライトハイザーの姿勢が欲しい。君は為替の安定に努めろ」と一蹴《いっしゅう》している。

泥酔しているかのような振る舞いの前後に相手に一撃を見舞う。中国拳法の酔拳をイメージするのは私だけではないだろう（ちなみにトランプは酒を飲まない）。

そうしたトランプの言動を記したものだけに、ボルトン回顧録は、全体の流れを見ないと読み誤る。ボルトンと直接対話した経験も踏まえ、この本の読み方を第5章にまとめた。対中外交に関する部分だけでなく日本、北朝鮮、韓国に触れた部分にも分析を加えた。

さきに酔拳と評したが、トランプ外交にはやはり危うい面もある。アメリカ大統領は極度に多忙だ。日本の首相なら、安全保障問題と言っても、基本的に東アジアに限定されるが、米大統領は世界中の紛争に対応を迫られる。身近に明確な理念と専門知識を持ったアドバイザーが欠かせない。

その点、最も懸念されるのは北朝鮮問題である。「神は細部に宿りたまいき」と言う。ぎりぎりまで押し込んでも、細部の詰めを誤れば、結局騙されて終わる。トランプに核交渉の細部を評価する時間も能力もない。

核拡散に関してアメリカ有数の専門家がボルトンだった。トランプはボルトン解任理由の筆頭に、「リビア・モデルに言及して金正恩《キムジョンウン》を怒らせた」ことを挙げたが、これは全くの認識不足である。ボルトンを排除したい北が、トランプの誤解に乗じて怒って見せ、首尾よく解任に持ち込んだと言えるだろう（もちろん解任理由は他にもある）。「リビア・モデル」を含む米朝のせめぎ合い、そして拉致《らち》問題に関心のある方はぜひ第5章を見ていただきたい。

ナチスには海軍力がなく、ソ連には経済力がなかった。しかし中国はその両方を兼ね備えている。文明史上最大の脅威と言ってよい。

「肉を切らせて骨を断つ」姿勢を相当期間維持できなければ、独裁体制を倒すことはできない。中国台頭の規模とペースを考えれば、おそらくいまが最後のチャンスだろう。トランプ政権と共和党指導部は、その意識のもと、戦う意志を固めている。

その点、日本の有力政治家や経済界のリーダーから、「米中とも冷静さを取り戻し、早く事を収めてほしい」といった言葉が出るのは情けない。

軍事以外は途上国だったソ連とGDP世界二位まで成長した中国では体制の強靭《きょうじん》さが違うといった議論もよく聞かれる。しかし多くの国民が豊かさに触れた中国の方が経済悪化への耐久力は弱いともいえる。中国で独裁体制が崩れれば、その支援に頼る北朝鮮、イラン、ベネズエラなどの「連鎖倒産」も期待できよう。

超大国アメリカは、その圧倒的な軍事力や金融力を武器に、単独制裁を国際制裁に変える力を持っている。その本格実験と言えるのが、中国の通信機器最大手ファーウェイに対する締め付けである。次世代通信規格「5G」に関して、「専門家」の多くは、もうファーウェイ圧勝の流れは止められないと解説してきた。しかしアメリカの制裁強化により、流れは逆転しつつある。政治の意志の重要性を示す典型例だろう。第2章で詳述した。

レーガンは冷戦勝利を謳《うた》った演説の中で、先に引いた部分に続き次のように述べている。

私は、別の大会（民主党大会）で登壇者たちが「われわれは冷戦に勝った」と言うのを聞いた。しかし疑問に思わざるをえないのだが、彼らが言う「われわれ」とは、正確なところ一体誰を指すのだろうか。

日本のメディアでは、いまだに「米中対立」の文字が躍っている。しかし事は米中二国の争いではない。いまや自由主義対ファシズムの闘いが雌雄を決する段階に入ったと言える。中国共産党が世界を支配すれば、自由で人間的な文明は地を払う。

日本ははたして「われわれ」の一員として戦うのか。国としての意志が問われている。

3年後に世界が中国を破滅させる

目次

第2章　中国排除で加速する「新冷戦」

第3章　米国「抗議暴動」の真相は何か

第4章 米民主党政権の誕生は悪夢

第5章 ボルトン回顧録をどう読むか

第6章　冷戦に学び中国を封じ込めよ

おわりに　

第1章

世界を威嚇する中国

「戦狼外交」とは何か

中国外交は、野望を隠して相手を油断させ、利用していく鄧小平《とうしょうへい》以来の「韜光養晦《とうこうようかい》」戦術を捨て、露骨に脅し付け、嫌がらせをし、平伏させる「戦狼」外交へと変貌《へんぼう》を遂げた。

戦狼精神（英語ではWolf Warrior ethos）は中国国営メディアの命名で、人民解放軍特殊部隊の元隊員がアメリカ傭兵《ようへい》部隊などを相手に戦う映画シリーズに由来するという。

かつて私は、福田康夫政権の対外姿勢を「全方位土下座外交」と名付けたが、戦狼外交はその〝真逆〟と言える。いわば「全方位威嚇外交」である。

昨今、世界の至るところで中国外交官が、任地国において、政府・民間、メディアの大小を問わず反中的な言動を見つけ出しては「まずマスクを付けて黙ることだ」「身のほどを知るべきだ」などの非外交的な言葉で反撃したり、中国の各種「支援」におおやけに感謝するよう執拗《しつよう》に迫ったりといった光景が展開されている。

この中国外交の変容の背後には、アメリカの姿勢の決定的変化がある。もはや中国共産党政権（以下中共）がいかに紳士的なポーズを取ろうが、ただちにポンペオ米国務長官やホワイトハウス高官、有力議員らから「騙《だま》されるな。中共の本性は冷酷で卑劣なアウトローだ」といった警告メッセージを発せられ、世界に拡散される。

慇懃《いんぎん》無礼な「背広を着たヤクザ」路線が通用しなくなった以上、むしろ本性をむき出しにして、誰も誤解のしようがないコワモテ路線で臨んだ方がよい。俗に言えば、はっきり刺青を見せて凄《すご》むことによって、アメリカは別だが、弱小国なら震え上がるはずというのが戦狼外交の基本的発想と言える。

その背後には、いかに外面を取り繕っても反発を買う以上、もはや政策決定に当たって海外の反発は考慮しないという中共指導部の開き直りがあろう。

それを窺《うかが》わせる象徴的人事が、二〇一九年、党で統制強化を担当していた斉玉《せいぎょく》の外交部党委書記への異動である。斉は同年一二月の論文で、今後中国外交官は「国際舞台において中国共産党指導部やわが国の社会主義制度を攻撃する言葉や行動があれば断固として反撃せねばならない」と強調している。従来どおりの外交官的物腰や言葉遣いで仕事をすると、党から忠誠心を疑われかねない。

一段と激越で新奇な罵倒《ばとう》語を生み出すことで忠誠心を競う北朝鮮のスピーチライターに似た境遇に、いまや中国の外交官は置かれたと言える。

もっとも戦狼外交は、中共の狙《ねら》いがより鮮明化するという意味で、倒錯した形ではあるが、一種の「透明性の向上」と受け取ることもできる。

まだアメリカの下流に甘んじる現在でもこれほど厚顔無恥な中共が、世界の覇権を握った暁にはどこまで傍若無人になるか、それを示唆してくれる点でも、戦狼外交への転換は、国際社会にとって歓迎すべきことかもしれない。

「異質」の根源――ファシズム国家中国

中共の本質をどう捉《とら》えるべきか。

現代中国は非常に危険な段階に入った「先進ファシズム」体制と言えるだろう。

この「ファシズム」という用語は、中共が特に対日歴史戦においてキーワードとしてきたものである。中共のプロパガンダ（政治宣伝）戦に対抗する上で、この言葉の正確な理解は欠かせない。

中国政府の公式見解によれば、第二次世界大戦は日独伊という「邪悪、闇、反動」を体現するファシズム勢力に、中ソ米英ら「正義、光、進歩」を体現する勢力が立ち向かった「世界反ファシズム戦争」ということになる。

二〇一五年九月三日、軍事パレードを伴って北京で大々的に挙行された「反ファシスト戦争勝利七〇周年記念」式典で、習近平《しゅうきんぺい》国家主席は、「あの戦争中、中国人民は多大な民族の犠牲を以て、世界の反ファシズム戦争の東方の主戦場を支え、反ファシズム戦争勝利のために大きな貢献を果たした」と総括している。

ファシズムが用語として市民権を得たのは、一九二〇年代、イタリアのムソリーニが、共産主義でも資本主義でもない「第三の道」として打ち出した以降である。「ファッショ」はイタリア語で束ないし結束を意味する。

ファシズムは、「国家主義的な独裁を永遠の統治原理としつつ、資本主義のエネルギーを抑圧体制活性化のために用いる」イデオロギーと定義できる。

ムソリーニは若い頃、レーニンから将来の国際社会主義を担う逸材と持ち上げられたほどの純然たる社会主義者だった。しかし第一次大戦後、マルクス主義の国家および市場原理否定に疑問を抱いて袂《たもと》を分かち、より高次のイデオロギーとしてファシズムを掲げるに至った。

また一九三三年に政権を獲得したドイツのヒトラーも、社会全般の国家主義的統制を強めつつ、経済については市場原理の一定の維持を図るファシズム政策を進めた。

共産主義とナチズムの違いを問われたヒトラーは、「国民全体を国家主義化すれば、生産手段の国有化は必要なくなる」と答えている。

資本主義のエネルギーを圧殺するのではなく、利用し奉仕させる。これが、ファシズムが自らを共産主義より開明的かつ先進的と誇る点である。

ちなみに、ファシズムに異常な人種主義が加わったのがナチズム、ナチズムに破滅的な拡張衝動が加わったのがヒトラリズムと定義できる。

ヒトラーが対外侵略に邁進《まいしん》せず、鄧小平流の「韜光養晦」戦術に出ていたら、ナチス・ドイツは中国に先駆けて先進ファシズム化し、覇権を謳歌《おうか》したかもしれない。

中国は「社会主義市場経済」を打ち出した鄧小平時代に、毛沢東《もうたくとう》的な原始共産主義からファシズムに移行した。ムソリーニの転向の経緯をなぞり、ヒトラーの「生産手段国有化」批判の論理に沿った、歴史的には自然な展開であった。

いま「反ファシズム」を言うなら、その対象は何よりも中国の共産党独裁政権でなければならない。

ムソリーニやヒトラー同様、中共も永続的体制として一党独裁を位置づけている。これがいわゆる開発独裁と質的に異なる点である。

開発独裁は、絶対的貧困を乗り超えた段階で民主制に移行することを約束する。しかし中国では民主化は悪として否定されている。

独裁を統治原理とするか、あくまで緊急避難措置とするかで、ファシズムか開発独裁かが分かれる。中共はきわめて自覚的なファシズム政権である。

　そして軍事、国民監視などあらゆる面でハイテク化を進める中共は、ナチスが果たしえなかった覇権を実現するかもしれない文明史上最大の脅威である。

　国際政治は、先進自由主義陣営と先進ファシズム陣営が雌雄を決する時代に入った。文明対ハイテク野蛮の決戦と言ってもよい。中共が勝利すれば、自由で人間的な文明は地を払う。ナチス・ドイツは海軍力を欠き、ソ連は経済力を欠いたが、中国はその両方を備え、日々増強を図っている。

　中国も経済発展すれば徐々に自由民主化する、だから積極的に成長を支援すべきという発想は過去半世紀における最大の誤りだった。

　一党独裁のファシズム国家を経済発展させれば、先進ファシズム国家に変貌するだけなのである。

「中国の体制に憧れる者はいない」という考えも危うい。例えばイランの神権独裁政権は、自由民主主義を斥けながら経済大国となった中共に、憧憬《どうけい》の目を向けてきた。全体主義者にとっては、中共は成功モデルなのである。

　結局、中共はハイテク化した北朝鮮に過ぎないとの認識が必要だろう。逆に言えば、北が現在の体制のまま「発展」する手助けをしてはならないということにもなる。まず非人間的体制を転換させねばならず、経済協力はその後である。

前哨戦を戦う香港市民

自国民の人権を平気で蹂躙《じゅうりん》する体制が、他国の権利や国際ルールを尊重するはずがない。中共の対外行動のルーツは中国内部に窺うことができる。

先進ファシズムとの決戦の前哨戦《ぜんしょうせん》が戦われてきたのが香港である。

二〇二〇年五月二八日、中国共産党の下部組織である全国人民代表大会（全人代）が、「国家安全法」の香港への導入方針を承認した。

香港基本法第二三条は、反逆行為を禁止する内容の条例を香港政府自ら制定せねばならないと規定する。制限選挙のため親中派が優勢の香港立法会は、長年、条例制定を試みてきたが、市民の抵抗で挫折を繰り返してきた。業を煮やした中共が頭越しの制定に乗り出したわけである。

翌五月二九日、ホワイトハウスのローズガーデンでドナルド・トランプ米大統領が「中国に対する行動」と題する演説を行った。

両脇にマイク・ポンペオ国務長官、スティーブン・ムニューシン財務長官、ロバート・

オブライエン大統領安保補佐官、ロバート・ライトハイザー通商代表、ピーター・ナバロ通商担当大統領補佐官、ラリー・カドロー大統領経済諮問委員長らを従え、政権全体の意思を印象付けるセッティングだった。

演説ではまず、知的財産の窃取や航行の自由の侵害など中国による「違法行為のパターン」を改めて指摘し、「武漢《ぶかん》ウイルス」の無責任な世界的拡散を強く非難している。次いで中共の香港に対する介入強化に触れ、「中国は国家の安全を守っているのだという。しかし現に、香港は自由な社会として安全に繁栄していた。中国の決定がこれを逆転させるのだ」と批判した。

そして国家安全法に関わる上記全人代の決定を、「一国二制度」を香港返還日（一九九七年七月一日）から五〇年間維持するとした中英共同宣言（一九八四年）の条約義務と香港基本法に対する「明白な違反」と断じている。

もっとも一国二制度は、仮に中共が合意を守ったとしても、二〇四七年六月三〇日には終了し、以後香港は合法的に大陸中国に吸収される「当座しのぎ」の取り決めであった。

二〇二〇年時点で二〇歳の香港青年なら、働き盛りの四七歳で自由を奪われることがビルトインされている。二〇四七年という「絶望の年」が視野に入ってくるにつれ、市民の抵抗運動が激しさを増してきたのも当然である。

林鄭月娥《りんていげつが》（キャリー・ラム）香港行政長官は、二〇四七年以降も香港の体制は事実上維持されると述べるが、中共の一官僚に過ぎない人物の言葉を真に受ける者はいない。

六月三〇日、全人代常務委員会が「香港国家安全維持法案」を全会一致で可決、即日施行された。香港住民は、施行後まで中身を全く知らされなかった。

同法は非常に広範かつ曖昧《あいまい》な内容である。例えば、最高無期懲役など厳罰が科せられる「国家分裂」を煽《あお》る行為には、香港独立を主張した場合だけでなく「その他の地域」すなわちウイグルやチベット、台湾の独立を支持する言動も含まれる。

また外国人が外国で中国政府や香港政府に「憎悪を募らせる」言動をしたり「香港または中国に対する制裁」を唱えたりした場合も処罰対象となる。外部世界にもはっきり牙をむいた「戦狼法」と言えるだろう。

トランプは先の演説で、「香港の人々は、数年、数十年の間に中国はその最も輝けるダイナミックな市（香港）にますます似通ってくるだろうと期待した。世界中が、香港は中国の将来を垣間見せる存在だというある種の楽観に心を震わせた。まさか逆に香港が中国の過去に吸い込まれていくとは思わなかった」と述べている。

たしかに中英合意が成った一九八〇年代半ばの時点では、大陸中国も経済発展とともに徐々に民主化が進み、香港の吸収は政治問題として消滅するだろうとの期待があった。しかしそうした期待は雲散霧消した。

中国市民に独裁打倒を呼びかける米政府高官

こうした認識から、解決は中国の体制転換しかないとの考えがトランプ政権中枢部からも打ち出されるに至った。香港の自由を回復するには、中国全体を自由化するしかない。

マット・ポティンジャー大統領安保副補佐官のオンライン講演がその代表である（二〇二〇年五月四日）。ポティンジャーは中国語が堪能で、この講演も中国語で行われた。中国内部への浸透を意図したものだろう。五月四日はいわゆる五四運動（一九一九年）の記念日である。

五四運動については、自身、中国で民主化運動に挺身《ていしん》した石平《せきへい》が的確に要約している。

一九一九年五月四日、中国の主権を無視した、パリ講和会議のベルサイユ条約に不満を持った北京の大学生たちが抗議デモを起こした。当初は国家の主権を守ろうとする愛国運動の様相を呈していたが、運動が広がっていくなかで、学生や知識人たちが科学精神と民主主義をもって中国を改革していくことを唱えたため、中国の啓蒙運動と民主化運動の先駆けとして位置づけられるようになった。近代以来の中国では、「五四運動の精神」といえば、それはすなわち「迷信に対する科学精神の尊重」と「専制政治に対する民主主義の推進」を意味するものとなっている。筆者自身が参加者の一人であった一九八九年の天安門民主化運動が起きた時も、若者たちはまさに「五四運動」の継承者だと自任して、「五四精神の高揚」を訴えた。(月刊Hanada 二〇二〇年七月号)

私は、ポティンジャーとはホワイトハウスに隣接するNSCの会議室で二、三度会ったことがある。北朝鮮による拉致《らち》被害者家族会、救う会、拉致議連訪米団の一員としてだった。決して大柄ではなく、人懐っこい笑顔の持ち主だが、テロ勢力と直接戦うため報道の世界を離れて海兵隊に入った経歴が物語るように非常に芯が強い。

米紙ウォールストリート・ジャーナルの記者として中国駐在中は、民主活動家との接触などを理由に当局の苛烈《かれつ》な取り調べにさらされてもいる。中共の弾圧を身をもって味わった人物が政権中枢にいるのは心強い。

さて、ポティンジャーは演説で、腐敗した社会の打破を目指した五四運動の精神はいかに受け継がれているかと問いかける。そして、それは例えば新型ウイルスの危険をいち早く発信し、そのため当局に処分され、しかもなお献身的に治療に当たる中で自らも感染して命を落とした若き李文亮《りぶんりょう》医師の姿に見られるのではないかと言う。

「李医師がある記者に死の床で語った言葉は、われわれの耳になお響いている。『私は健康な社会には複数の声がなければならないと思う。公権力による過剰な介入を私は認めない』。……しかし武漢での感染拡大に光を当てようとしたジャーナリストは軒並み行方不明となっている。最近数カ月の間に、ソ連の数十年間よりも多くの外国人記者が国外追放された」

習近平ファシズム政権は、ソビエト共産主義政権よりさらに情報隠蔽《いんぺい》の度合いが高いというわけである。ポティンジャーは、「目標は、中国において市民中心の政府を実現することではないのか。世界は中国の人々が答えを示す日を待っている」との言葉で締めくくっている。婉曲《えんきょく》な表現ながら、独裁体制の打倒を呼びかけたものと言えよう。

ポティンジャーはトランプ政権の対中政策を実務面のみならず理念面でも支えてきた。その経歴、言語能力から「中国を知らない」と一蹴《いっしゅう》できない相手だけに中共としては嫌な存在だろう。

七月一四日、アメリカでは、トランプ大統領の署名をもって香港自治法が成立し、香港の自治の侵害に関わった中国や香港の当局者と取引をする金融機関に制裁を科せることになった。具体的には、米銀による融資の禁止、外貨取引の禁止、貿易決済の禁止、米国内の資産凍結などで、中国の大手銀行に適用されれば激震が走る内容である。米大統領は大変な武器を手にしたことになる。

なお人口一四億の中国で普通選挙を実施すれば大変な混乱に陥ると強権体制を擁護する向きもあるが、ほぼ同人口のインドで現に民主選挙が実施されている。インドにできて中国にできない理由はない。

理想は、中国全体が自由民主主義体制という「一制度」に変わることである。しかし「一国」のまま留まるかどうかは住民の判断になる。中国が民主化される過程で、旧ソ連同様、いくつかの主権国家に分裂する事態もありうる。かつて李登輝《りとうき》元台湾総統が、一例として中国の八分割を示唆したこともある。

大学で同僚だったチェコ人教員に聞いた話だが、チェコ語とスロバキア語の違いは大阪弁と東京弁の違いより小さいという。それでもチェコスロバキアは二つに分かれた。しかし両者が共に自由民主制を取る限り、外部にとっては何の問題もない。

中国においても、「八国一制度」であれ、「一〇国一制度」であれ、全体が自由民主制のもとにあるならば一向に差し支えない。「分割民営化」の形態は住民の意思次第である。

二〇二〇年六月四日には、元代表チーム・エースストライカーで中国サッカー界のレジェンドと言われる郝海東《かくかいとう》が「共産党打倒」を呼びかける動画配信を海外から行った。中国当局は、急いで郝の過去記事をネット上から削除したという。

　産経新聞の矢板明夫記者によれば、知名度、人気ともに高い郝の、「人権を無視し、民主主義を踏みにじり、香港で殺戮《さつりく》を行ってきた中国共産党を殲滅《せんめつ》せねばならない」との訴えは、「これまでの反体制活動家や人権派弁護士らの同種の宣言と比べ、習近平政権に格段に大きいダメージを与えた」という。

　こうしたボディブローの積み重ねが、やがて大きな意味を持ってくるものと期待したい。

ウイグル人弾圧が示唆する未来

　アメリカでは、「香港人権民主法」の成立（二〇一九年一一月二七日）に続き、二〇二〇年六月一八日、「ウイグル人権政策法」が成立した。中国の新疆《しんきょう》ウイグル地域の人権状況に関する報告書を一八〇日以内に議会に提出するよう求め、ウイグル人弾圧に関わった中国当局者を特定して資金凍結やビザ取り消しなどの制裁を科す内容である。

　熾烈《しれつ》な政争を続ける中でも、こうした法律は超党派で成立させてくる米議会に、日本の国会も学ぶべきだろう。

ウイグル問題では、二〇一九年一二月六日に放送された日本テレビの討論会が興味深かった。父と弟が中国で強制収容されている在日ウイグル人のアフメット・レテプ（日本ウイグル協会理事）が窮状を訴えたのに対し、中国社会科学院教授の肩書を持つ凌星光《りょうせいこう》が、「（収容所では）まず中国語を勉強する。二つ目は、法律の教育。国の法律を知らないから公民として知ってもらう。三つ目に職業訓練。三段階で過激派の思想を除いていく」と中共の立場を官僚答弁ふうに説明した。

実は凌星光教授を私はよく知っている。福井県立大学の創設（一九九二年）から数年間同僚だった。拉致問題に関し、「日本は拉致に拉致されたな」と使い古された冗句を嬉《うれ》しそうに繰り返していたのが印象に残っている。もっとも中共の独善的な論理を手っ取り早く知るには有用な存在で、メディアがパネリストに使うのも理解できる。

凌の官僚的解説に対してレテプは、自分の父は農家の中心として家族を養ってきた農業のプロだ、畑も持っている、いまさら何の職業訓練が必要なのかと反論し、いまや七〇歳を超えており、このまま収容所で朽ち果ててしまうかもしれないと痛切な思いを語った。

もしレテプがこの言葉を、ウイグルの収容所内で看守に向けて発したとすれば、ただちに陰湿な「特別訓練」に晒《さら》されるだろう。そのとき日本では凌が、「レテプさんは国の法律を知らないから公民としての教育を受けているんです」と措置の正当性を解説するはずだ。

レテプの活動については、NHKがニュース特集で、インタビューを交えて紹介していた（二〇一九年七月五日放送）。

二五歳で来日、日本の大学院を修了し、都内の会社で働いていたが、二〇一七年、家族親族一二人が突然当局に拘束され、翌年二月以降は母親とも連絡が取れなくなった。その後、レテプの携帯に、「地元公安当局」を名乗る男から父の映像が送られてきた。そこには、「長く連絡できなかったが、施設で勉強に励んでいる。君がわが国の利益を最優先し、積極的に協力すれば私たちも安心できる」と語る姿が収められていた。

明らかに父は「言わされていた」とレテプは言う。「私が知っているお父さんじゃない。全然違う。別人になっている。目や顔にお父さんらしい光が全くない。人間を完全に共産党のロボットにしようという試みだ。従わない者は容赦なく、拷問などで命を奪っていく」。

しばらくして「地元公安当局」の男から再びメッセージが入った。「日本のウイグル人組織について状況を把握しているはずだ。わが国の立場に立ち、われわれと協力すれば、あなたの家族の問題を解決するのはたやすい。私の言う意味が分かるね」。家族を人質にスパイ活動を要求したものだった。

レテプの証言の信憑性《しんぴょうせい》を疑う理由はない。アメリカのウイグル人権法は、その一項で、在米ウイグル人に対する脅迫事例をＦＢＩが情報収集し、法律成立後三カ月以内に議会に報告するよう求めている。

マイク・ペンス副大統領やポンペオ国務長官は繰り返し、「中国国外に居住するウイグル人に対するすべての迫害をやめ、恣意《しい》的に拘束されたすべての人々を解放するよう求める」趣旨の演説を行っている。

日本で社会の一員として働いているウイグル人たちの人権はもちろん、故郷に残された家族の人権確保に向けても、日本政府や国会はより積極的に動かねばならない。

弾圧の苛烈化に伴って、弾圧される側の恨みも深まる。それがまた弾圧の口実に使われる。ファシズム体制の特徴である。

かつて第二次世界大戦中の一九四四年五月五日、ドイツの敗色が濃厚となる中で、ナチス親衛隊長のハインリヒ・ヒムラーが行った内部訓話の一部を引いておく。

ユダヤ人問題には、われわれの血の存続がかかっている。生死を分ける戦いにふさわしい妥協なき形で解決されねばならない。服従の精神と絶対的確信に満ちつつも、この軍事命令の遂行が、私にとっていかに難しいものか諸君は理解できるだろう。「大人の男に関しては分かるが、なぜ子供たちまで」と諸君は問うかもしれない。が、過去の戦争のルールは捨てねばならない。ドイツ人たるわれわれとしては、いかに心が重かろうと、憎悪と復讐心に満ちたユダヤ人世代を成長させるわけにはいかない。われわれの心の弱さと臆病のため、われわれの子や孫の世代に苦労の種を残すことになるからだ。

これが、幼児や妊婦も含め、ユダヤ人の絶滅（ホロコースト）を推進した男における「勇気」の論理である。包囲網が強まるにつれ、中国共産党内部でも、こうした倒錯が深まっていくのではないか。

なおよく、中国が北朝鮮の体制崩壊を望まないのは、難民の大量流入を恐れるためと解説する人がいる。これまた中国発のプロパガンダと見なければならない。難民対応が難題となるのは、人権を重視する国に限られる。中国政府の場合、躊躇《ちゅうちょ》なく物理的暴力で難民の流れをせき止め、追い返すだろう。現に国連難民条約に違反して、脱北者を強制送還し続けている。自国籍のウイグル人を強制収容する中共が、北朝鮮難民の保護に意を用いるはずがない。

接近する台湾とアメリカ

台湾に対しては、中国共産党指導部は常に脅迫的言辞を弄《ろう》してきた。台湾に関する限り、一貫して戦狼外交を進めてきたと言える。

例えば二〇二〇年五月二九日、中国共産党序列三位の栗戦書《りつせんしょ》・全人代常務委員長が、台湾独立の動きに対する武力行使規定を含む「反国家分裂法」の施行一五周年を記念した座談会で「台湾独立勢力は情勢の判断を誤り、われわれの国家主権と領土保全を守る最低ラインに重大な挑戦を行っており、断固として打撃を与えなければならない」と述べている。

習近平国家主席も、「われわれは決して武力行使を放棄しない」、すなわち台湾が香港のような「一国二制度」による平和統一を選択しないなら武力統一もありうるとの趣旨をおおやけに語ってきた。

一方、台湾の蔡英文《さいえいぶん》政権は「一国二制度」による中台「統一」を明確に拒否している。香港の状況を見るまでもなく当然の判断だろう。

武漢ウイルス禍の阻止で台湾は模範的対応をし、国際的評価を高めた。米中との距離の取り方で曖昧さの見られた蔡英文総統も、政権二期目（二〇二〇年五月から）に入る前後からは、アメリカとの連携強化の方向で態度を明確化させてきた。その分、中共指導部の苛立《いらだ》ちは募っていよう。

一方、トランプ政権も台湾への武器供与のレベルを着実に上げ、閣僚級の高官や将官が台湾に渡航して会談を行うことや、台湾高官が米国に来て国防総省や国務省の当局者と会談することを認める台湾旅行法も二〇一八年三月一六日に成立した。

トランプは二〇一六年の大統領当選後ほどなく、『一つの中国』を含めすべてが交渉対象となる」と発言して、米内外の既存外交エリート層を驚愕《きょうがく》させたが（「文字どおり卒倒した」と告白する人までいた）、コロナ禍が深まる中、米中デカップリング（切り離し）の方針を次第に鮮明にし、戦略物資のサプライチェーン（供給網）からの中国外し、逆に台湾の取り込みを加速させてきた。

安全保障面でも台湾は重要な結節点の位置にある。これは朝鮮半島と比較すると分かりやすい。

北朝鮮が現体制崩壊後に中国の支配下に置かれ、中国軍が北の港を利用することになっても、さらには韓国の左翼政権が米韓同盟を離れて中国の傘下に入ったとしても、日本列島、琉球諸島、台湾、フィリピンと連なる線で蓋《ふた》をされる状況が続く限り、中国海軍は行動を把握されずに太平洋に出ることは難しい。東シナ海は水深が浅く、潜水艦の動きも、上空を飛ぶ日米の対潜哨戒機の目を逃れられない。

一方、中国が台湾を併呑《へいどん》した場合、中国海軍は台湾を拠点に自由に太平洋に出ていける上、台湾海峡のみならず台湾・フィリピン間のバシー海峡を支配下に置くことで、南シナ海の北東出入り口をほぼ完全に押さえることができる。

そして南シナ海では、中国が、フィリピンやベトナムの施政権下にあった島々を次々奪取し、また岩礁を埋め立てた人工島に空港や港、ミサイル基地を設けて領海・領空主張をするなど「内海化」を進めている。これらの行為はいずれも海洋法条約違反である。しかし中共は批判を歯牙《しが》にもかけない。

要するに、アメリカのアジア太平洋戦略上、朝鮮半島は展開次第で放棄しうるが、台湾は絶対に自由主義圏に留めておかねばならない。

台湾とシンガポールの重要性を説いていたボルトン論文

ここで、二〇一七年のトランプ政権発足と前後して発表されたジョン・ボルトン論文に注目したい。ボルトンは二〇一八年四月から二〇一九年九月まで大統領安全保障担当補佐官を務めた保守派の論客だが、米台関係についても常に数歩先を行った議論を展開してきた。トランプ批判を多く含む回顧録の出版で米保守派の総スカンを食ったのは残念だが、その主張にはなお聞くべきものが多い（第5章で詳述）。

その一つ、ボルトンの「米軍の台湾駐留」論を見ておこう（ウォールストリート・ジャーナル、二〇一七年一月一七日）。

まず、興味深い日本国内の受け止めとして、当時この論説を速報した共同通信の記事を引いておく。

ボルトン氏は「台湾は地政学的に東アジアの国に近く、沖縄やグアムよりも南シナ海に近い」と指摘。海洋進出を強める中国への牽制《けんせい》に加え、沖縄米軍の一部を台湾に移すことで「日米摩擦を起こしている基地問題を巡る緊張を和らげる可能性がある」と述べた。「海洋の自由を守り、一方的な領土併合を防ぐことは米国の核心的利益だ」と強調。台湾との軍事協力の深化は「重要なステップだ」とした。

日本のメディアが「沖縄米軍の一部台湾移転」に注目したのは当然とも言えるが、あくまで副次的な箇所であって論文の主眼はそこにはない。むしろ、キーワードは「シンガポール」である。台湾問題の今後を考えるに当たって示唆に富む記述と言える。

まずボルトン論文のタイトルは「『一つの中国政策』を再考する」で先に引いたトランプ発言に通ずる踏み込んだものである。

最初にボルトンは、「最近、台湾での年次軍事演習のため香港経由で運ばれていたシンガポールの軍事機材を中国が押収した」事件を取り上げる。

一般には知られていないが、実はシンガポールは、中華人民共和国と国交樹立後も台湾との軍事交流を続けてきた。ボルトンが言及したのは、二〇一六年一一月に、台湾での合同軍事演習を終えてシンガポールに引き揚げる途中の装甲兵員輸送車が、経由地の香港で差し押さえられた件である。

ＣＮＮは経緯を次のように報じている（一一月三〇日）。


中国外務省報道官は二八日、「中国と外交関係のある国が、台湾との間で軍事を含む公式交流を行ったり協力したりすることに反対する。シンガポール政府に対し、一つの中国の原則を遵守するよう求める」と語った。シンガポール国防相は二九日、「わが国は海外演習を秘密にしたことはない。演習を行う場所もおおやけにしている」と述べた。……台湾の国防部からは、自軍の物資ではないとして、コメントはなかった。

この軍事交流は、一九七五年に台湾の蔣経国《しょうけいこく》総統とシンガポールのリー・クワンユー首相が合意した作戦名「星明かりプロジェクト」（Project Starlight）で、国土の狭隘《きょうあい》なシンガポールに台湾が演習場所を提供することなどを骨子とする。

あくまで秘密プロジェクトだったが、二〇〇七年、演習中のシンガポール戦闘機が死傷事故を起こしたことからおおやけになり、以来、中共から中止圧力を受けてきた。中国側はシンガポールに対し、海南島を代替演習地として提示したが、シンガポール軍が用いる米製兵器の秘密が漏れかねないとしてアメリカが待ったをかけ、北京は苛立ちを強めていた。

別個の動きではあるが、二〇一六年七月一二日、ハーグの常設仲裁裁判所が、南シナ海における中国の領有権主張や人工島建設は国際法違反とする裁定を下した。このときシンガポール政府が裁定を評価するコメントを出したことも、中国側の懲罰意欲を高めたはずである。

台湾とシンガポールは、南シナ海の北東と南西の出入口（地図上で右上と左下に当たる）を扼《やく》する戦略ポイントに位置する。南シナ海における中国の領有権主張を認めないことをいわば体で示す「航行の自由作戦」を進める米軍にとって、この両国に軍事拠点を持つことは非常に意味が大きい。

そのため中共が、台湾とシンガポールの軍事的動きを逐一把握していることを示して、両国に警告を発したというのが、上記押収事件の趣旨だろう。

ボルトンは、中国のこの行為は南シナ海での軍事基地建設と同様、「力による現状変更」と捉えるべきで、対抗措置を取らねばならないと言う。

具体的には、まず台湾に対する武器の供与を拡大し、さらには台湾への「米軍事要員と軍事資源」の「再配置」を視野に入れるべきだとしている。要するに米軍基地の確保である。

アメリカが台湾に軍事基地を持つことがただちに全面的な同盟を意味するわけではない。「シンガポールが台湾で行ってきた行動と同レベルか、いくらか拡大した程度」に過ぎず、新たな条約や立法措置は必要ない、台湾関係法の枠内で十分可能だとボルトンは言う。シンガポールが台湾領内でできたことをアメリカができないと考える方が不自然という論理である。

ちなみに、共同通信が引いたボルトン論文の一節をより厳密に訳せば次のようになる。

台湾の地政学的位置は、沖縄やグアムより、東アジアの大陸や南シナ海に近い。そのため必要が生じたとき、地域全体を通じた米軍のより柔軟な緊急展開が可能になる。日米関係を悩ませる問題である沖縄から、少なくともいくらかの米軍を再配置できれば、日米の緊張を和らげるのに資するかもしれない。そして現在のフィリピン指導部は、予見しうる将来、軍事その他の協力関係を拡大できる相手とは思えない。

沖縄については、ドゥテルテ大統領のフィリピン並みの不安定な存在と見られているわけで、日本にとって名誉な話ではない。

ここで、アメリカとシンガポールの軍事交流について整理してみよう。米側が台湾との軍事交流を拡大するに当たってモデルの一つとなるものである。

一九九一年に米軍がフィリピンの海空軍基地を引き払った後、シンガポールが代替施設の提供を申し出、米軍機や艦船にさまざまな便宜を供与してきた。二〇一四年には、電子兵器や無人兵器を搭載した、小回りの効く新型「沿海域戦闘艦」の配備を受け入れ、翌年一二月の追加協定で、新型哨戒機Ｐ−８（ポセイドン）にも基地を提供した。

チョークポイント（戦略隘路）たるマラッカ海峡から北方に南シナ海を望む戦略拠点を、米軍は一段と固めたわけである。台湾にも同様の拠点を得、南シナ海を包む形を取りたいというのがボルトン提言の軍事的意味である。

「一つの中国」は冷戦の遺物

事あるごとに「一つの中国」を唱えるのは、北京の常套《じょうとう》戦術の一環とボルトンは言う。すなわち、「一見罪の無さそうなスローガンを選び、海外諸国に受け入れさせた後、北京に都合のよく言葉を再定義し、ナイーブな外国人を引きずり回す」戦術である。この悪しきスパイラルを打ち破らねばならない。

したがって、「われわれは、一九七二年ではなく現在を反映した、一貫した戦略を持つ必要がある」。

一九七二年のニクソン訪中時に発表された上海コミュニケには、「台湾海峡の両側のすべての中国人が、中国はただ一つであり、台湾は中国の一部分であると主張していることを米側は認識している」とある。

当時は台湾側もそう主張していたので、特に中共側に加担した文言ではなかったが、いまや状況は変わった。

台湾はその後民主化され、他方、中国本土は習近平政権下でますます抑圧の度を強めている。軍事攻撃の口実を与えぬよう、表立って言わないにせよ、ますます多くの台湾人が、大陸とは別個の台湾国家にアイデンティティを感じるに至っている。

また、上海コミュニケ当時は冷戦の真っ只中で、主敵たるソ連を封じ込めるため、中国を西側に引き入れることに戦略的合理性があった。そのため、ロナルド・レーガン大統領でさえ、中国の人権状況を正面から取り上げず経済・軍事交流を進めるなど、同じ抑圧体制でありながら、ソ連とははっきり異なる扱いをした（第6章で詳述）。

しかし現在は、先進ファシズム国家と化した中国こそが主敵である。

中共幹部はよく、「冷戦思考を捨てよ」との言葉で、種々の制裁の動きを高圧的に牽制してくる。

例えば二〇二〇年五月二四日、全人代に合わせて外国記者団と会見した王毅《おうき》外相は、「政治ウイルスが米国で拡大しており、あらゆる機会を利用して中国を中傷している」とした上、米国の一部政治勢力が米中関係を「新冷戦」に向かわせようとしていると批判した。

しかし、中国を同盟国同様に扱う姿勢こそが、人権抑圧に目をつぶって特別扱いする「冷戦思考」の残滓《ざんし》である。ソ連が消滅したいま、そうした思考は捨て、あるがままの中国に対峙《たいじ》していかねばならない。

中国は軍事力および脅迫、懐柔の具としての経済力を強化し、戦狼外交を展開するに至った。

ボルトンが唱える「現在を反映した戦略」とは、上記の状況変化に対応した戦略の意味であり、台湾との軍事関係構築はその重要要素となる。

台湾との関係「アップグレード」

大統領当選後の二〇一六年一二月二日に、トランプが蔡英文台湾総統と電話会談を行った。中国との関係を数十年かけて築いてきた先人の努力を水泡に帰すものだと息巻くリベラル派（習近平国賓招待にこだわる二階俊博自民党幹事長の発言に通じる）に対し、マイク・ペンス副大統領当選者は、「オバマ大統領がキューバの独裁者と抱き合うのを褒めそやした人々が、トランプ次期大統領が民主的に選ばれた台湾総統と電話会談すると、口角泡を飛ばして非難する。奇異な光景だ」と皮肉っている。

ボルトンもあるインタビューで、「米中関係を揺るがした（shake up）との批判があるが」と問われ、「一本の電話が何十年にもわたる何かをひっくり返すと考えるのは馬鹿げている」と軽くいなした上で、「ただ、米中関係はまさに大きく刷新させる（shake up）必要がある。過去数年間、中国は南シナ海において強引な、いや好戦的なと言える行動を取ってきた」、それに応じた対抗措置が必要だと語っている。米中関係がはるかに悪化した二〇二〇年においてなら、民主党の政治家からも普通に出る程度の発言だろう。ペンス、ボルトンは若干時代の先を行っていたわけである。

ボルトンは、台湾との関係を「アップグレード」せねばならないと述べたが、それは外交面では次のような措置を指す。

台湾の外交官を公式に国務省に迎え入れること、アメリカの利益代表部（台湾との国交断絶前は大使館だった）である「米国在台湾協会」（American Institute in Taiwan）を民間の「協会」から公式の外交施設に格上げすること、台湾の総統が公的資格で米国を訪問できるようにすること、アメリカの政府高官が公務で台湾を訪れるのを認めること、最終的には外交関係の完全回復を実現すること等々である。

この内、政府高官の公務訪問は二〇一八年三月一六日に成立した台湾旅行法によりすでに実現した。ボルトンも大統領安保補佐官時代に、ホワイトハウス近くの連邦政府ビルで、台湾の国家安全保障会議事務局長と会っている（従来は外のコーヒーショップ等で面談していた）。

ボルトンは安保補佐官退任後、「選挙で選ばれた政府を持つ台湾のような国を国家承認しないなら、一体国家承認の目的は何なのか」と問題提起している（二〇二〇年七月二日のインタビュー）。

外交関係のさらなるアップグレードが注目されるが、その間、経済、軍事面での関係強化は着実に進展するだろう。軍事面では、台湾の軍人たちが平服で民間機に乗って訪米し、米国内の基地で合同演習を行うなど協力関係が拡大している。

経済面でも二〇二〇年五月一五日、半導体の受託生産で世界第一位の台湾積体電路製造（ＴＳＭＣ）が新たに大型工場を米アリゾナ州に建設すると発表した。

同日、米商務省が中国の通信機器最大手、華為技術（ファーウェイ）への輸出規制強化を発表した。米国企業の製造装置やソフトウエアを使って製造された半導体はファーウェイに供給できなくなる。これを受けてＴＳＭＣは、二〇二〇年九月以降、汎用品を除いて、ファーウェイ向けの新規半導体の出荷を停止すると発表した。重大な動きであり、情報通信分野において、日米欧台でサプライチェーンを押さえていくアメリカの方針にＴＳＭＣが従ったと言える（第2章で詳述）。

こうした状況に中共は、例えば二〇二〇年五月二四日、王毅外相が台湾問題で「中国が許容できない一線に踏み込もうとするな」と外国記者団に語るなど米国に対する牽制に躍起となっている。

しかし二〇一八年八月、中共が強く反対していたＦ16戦闘機六六機（八〇億ドル分）の台湾への売却について、「記者会見などせず静かにやってくれ」と側近に注文を付けつつも、トランプはゴーサインを出した。

議会の超党派での後押しもあった。下院外交委員会のエンゲル委員長（民主党）とマッコール筆頭理事（共和党）が連名で、F16売却は「米国の戦略パートナーである台湾と、台湾の民主的体制に対する中国の脅威を抑止するのに役立つ」との声明を出している。踏み込んだ対応と言えよう。

トランプ政権はその前月、M1A2Tエイブラムス戦車一〇八両と携帯型地対空ミサイル「スティンガー」二五〇発の売却も決めている。

高まる尖閣侵攻の危機

中共の侵攻圧力は日本の尖閣諸島に対しても強まっている。海警局（中央軍事委員会の傘下にある）の艦船による日本の領海や接続水域への侵入は日常の光景と化し、漁船を追い回すこともある。尖閣は中国の施政権下にあると国際社会に印象付けた上、頃合いを見て一気に占拠する狙いだろう。

しかしこうした中国側の意図を日本の政界が十分認識しているとは言えない。

例えば二〇二〇年四月に予定された習近平国賓訪日を控え、準備のために中国外交担当トップの楊潔篪《ようけつち》共産党政治局員が二月末に来日、二八日には安倍首相とも官邸で会談した。

その場で首相は、「国際社会に対して、世界的な大国となった中国とともに責任を果たしていくメッセージを出したい」と呼びかけ、楊も「（習が）国賓として訪問することは非常に重要な意義がある」と応じている。

この間、中国のネット上では、武漢ウイルスに苦しむ中国市民への日本からの医療物資支援に感謝する文字が少なからず表れていた。

こうした状況に鑑み、政界の一部では、尖閣周辺での示威行為を中国は控えてくるのではないかとの期待が見られた。ところが中国はやむことなく、日々坦々と領海侵犯行為を続けた。

ここで一つのエピソードを紹介しておこう。二〇一七年二月、国家基本問題研究所（私も役員の一人）の同僚と共にインドを訪れ、会議など公式日程終了後、旧知のシブシャンカル・メノン元首相補佐官（国家安全保障担当）と懇談した際のことである。同氏は外交安保分野の戦略家として国際的に知られる。

こちらが、「最近、尖閣周辺で中国の公船が領域侵犯行為のレベルを上げている」と切り出したところ、メノンは「日本もようやく分かりましたか」とさも当然という顔で頷《うなず》き、「インドは数十年にわたって絶え間なく中共の領土侵犯にさらされてきた。どんな状況下でもじわじわ押してきて、決して侵犯行為をやめない。それが中共だ。日本も尖閣で中印国境同様の状態が延々と続くと見ておかねばならない」と語った。

そのとおりだろう。もちろん事態は、さらに危険な方向に展開するかもしれない。構造的な不正腐敗に経済不振が加わり、国民の怒りが発火点に近づいたとき、独裁政権は不満を外にそらそうと軍事冒険の誘惑に駆られる。

また、日本が頼りとする同盟国アメリカが、内政的混乱に陥ったり、別の国際紛争に精力を奪われたりしたときも危ないだろう。

典型例は、キューバ危機のケースである。

一九六二年一〇月一六日早朝、ソ連がキューバに核ミサイルを搬入し設置中との情報がケネディ大統領に届いた。「世界を震撼《しんかん》させた一三日間」の始まりであり、米ソ核戦争の可能性すらはらんで極度の緊張が続く。

危機自体は、ソ連がキューバから核ミサイルを引き揚げ、見返りにアメリカが「キューバ不侵攻宣言」およびトルコに配備済みの核ミサイルの撤去を行うという取引により終息した。

ところが危機が進行中の一〇月二〇日、中国軍が東西二カ所においてインドに侵攻した。虚を突かれたインド軍は潰走《かいそう》する。

ジョン・ケネス・ガルブレイス駐インド米大使（著名なリベラル派経済学者でもある）は日記に、「ワシントンは完全にキューバ一色だった。一週間にわたり、一片の指示もないまま、私は戦争への対応を迫られた」と記している。

ケネディがようやくインドのネール首相宛てに「全面支持」書簡を出したのが二八日（キューバ危機終息の当日）。武器を積んだ米軍機がインドに到着し始めたのが一一月二日。すでに中国は占領地を固めていた。

歴史の教訓は明確である。アメリカが神経を奪われるような国際的危機が生じたときには、中共による尖閣への侵攻の危険も高まると見ておかねばならない。

第2章

中国排除で加速する「新冷戦」

武漢ウイルスの毒

トランプ大統領は、米国で武漢ウイルス禍の続く二〇二〇年五月一四日、FOXニュースとのインタビューで、「この感染症は中国政府の不当な工作がなければパンデミックにはならなかった」とした上、「中国とのすべての関係を断つ（cut off）こともできる」と大きく踏み込んだ発言をした。

WHO脱退や対中制裁の一段の強化を打ち出した五月二九日の演説でも、「中国は武漢から中国内の他の地域への移動を禁止しながら、ヨーロッパやアメリカへは自由に旅行させた」「世界は中国政府の不法行為の結果、苦しんでいる。武漢ウイルスに関する中国の隠蔽《いんぺい》工作が病気を世界に拡げ、世界的流行をもたらした」とはっきり中国政府を名指しで非難している。

武漢ウイルス蔓延《まんえん》の結果、アメリカは歴史的な低失業率を誇った状況から、大恐慌の再来を思わせる苦境へと一気に突き落とされた。その責任は中共にあるとするのがトランプ政権のみならず米保守派一般の認識である。

中国政府が意図的に武漢ウイルスの国際的拡散を図ったとする証拠はない。しかし実態としては、アメリカはじめ各国に「生物兵器戦争」を仕掛けたと同様の結果になった。経済のみならず軍事面でも具体的被害が生じている。

米空母「セオドア・ルーズベルト」が艦内での感染拡大を受け戦線離脱を余儀なくされたのが典型例である。中共はじめ世界の反米勢力は「ウイルス兵器」の威力をはっきり脳裏に刻んだだろう。

将来、例えば中共が台湾に侵攻する場合、アメリカ太平洋艦隊を行動マヒに陥らせるため、乗組員へのウイルス感染作戦を準備工作の一環に組み込んでくるのではないか。

大量破壊兵器は、核、化学、生物の三種からなる。この内、核ミサイルは瞬時に巨大な破壊を引き起こすものの、「リターン・アドレス付きの攻撃メール」と評されるように、誰が放ったかが明白なため、相手が核保有国の場合、破滅的な報復を覚悟せねばならない。

その点、生物兵器は、効果が出るまで時間がかかる一方、いつ誰がどこで攻撃に出たかが分かりにくい。

新種のウイルスを体内に仕込んだ工作員を敵国に送り込み、満員電車内で咳《せき》をさせ、ドアノブや陳列商品を触わって回らせれば、感染爆発で社会に大混乱を引き起こせる。かねてから指摘されてきた「生物兵器自爆テロ」である。

ただし難点は死体で、致死力の強いウイルスだと、感染工作員が潜入先で死亡し、遺体や所持品から「送り主」が特定されかねない。

しかし武漢ウイルスのように、感染力は強いものの青壮年ならまず重篤化しないウイルスの場合、工作員は作戦遂行後、何食わぬ顔で帰還できる。

新型コロナウイルスが、一部専門家の示唆するように、武漢ウイルス研究所その他中国の公的機関から漏れ出たものかどうか、さらには生物兵器に関連したものだったかどうかは分からない。一党独裁下では透明性ある調査はもちろん期待できず、現体制が続く限り、真相は藪《やぶ》の中にとどまろう。

いずれにせよ銘記すべきは、武漢ウイルス禍のような事態が、意図的な生物兵器攻撃としても起こりうることである。軍事的意味を念頭に置いた対応が必要なゆえんである。

ファシストには便利な「人口調節ウイルス」

発生源となった中国はいち早く収束宣言を出し、他国に先駆けて経済活動の正常化を図った。習近平国家主席が収束に向け陣頭指揮するパフォーマンスを見せた以上、共産党組織としては、実際の感染状況がどうあれ「収束」以外のシナリオはありえない。症状を訴えた人間は「反革命分子」扱いされかねず、自然、沈黙を強いられる。

中国の国営企業はいち早く、パンデミックで大打撃を受けた欧州各国において現地企業の買収に乗り出すなど、混乱に乗じた攻勢に出ている。

二〇一一年に浙江《せっこう》省で起こった高速鉄道の衝突脱線事故を想起したい。中国当局は事故車両を素早く現場の高架下に埋め、一日半後には列車の運行を再開した。証拠隠滅と表裏一体の中共流「スピード処理」である。

またファシズム的発想では、「習近平思想」を理解できないような認知症の老人や「社会主義建設」に役立たない病人などは党が保護するに値しない。

現役世代はほぼ無症状ないし軽症で済み、高齢者や基礎疾患のある者が集中的に犠牲となる武漢ウイルスは、ファシストの観点からは、まさに便利な「人口調節ウイルス」ないし「財政健全化ウイルス」だろう。

もちろん共産党幹部とその家族の安全は守られねばならない。ウイルスを兵器として使うには、ワクチンと治療薬まで開発済みであることが望ましい。

現在の日本やアメリカでは、必ず情報が表に出るため、秘密裏の生物兵器開発などありえない。その点、中国や北朝鮮は違う。

先述のとおり、生物兵器は使用者を特定しづらく、報復が難しい。すなわち抑止力が効きにくい。極秘の生物兵器開発が可能な非人道的体制をこの世からなくす以外、根本的な対策はないだろう。

台湾とイスラエルを継子扱いする国連機関

しかし、独裁体制の打倒、自由民主化を長期的戦略としつつも、その間、繰り返されるであろう中国発の新型ウイルス禍にしっかり自衛策を講じていかねばならない。この点、示唆に富むのは台湾の対応である。

台湾は、中国と地理的に近く経済的結びつきが深いにもかかわらず、ほとんど死者を出さぬまま収束に成功した。中共とＷＨＯを信用せず、独自の情報収集と分析に基づき、航空便の検疫強化、次いで中国との往来停止など積極的な防衛策に素早く出たことが功を奏した。

台湾当局がヒト・ヒト感染の可能性をＷＨＯに通告したのが二〇一九年一二月三一日。しかしＷＨＯ指導部が責任ある対応を取らない、どころか応答すらしないため、自主的に往来停止などの措置を取った。ＷＨＯがようやく緊急事態宣言を発したのが二〇二〇年一月三〇日。この間の対応が各国の被害状況を大きく分けた。

ＷＨＯを含む国連機関は、寄り合い所帯という組織の性質上、米ＣＩＡ、英ＭＩ６のような独自の情報機関を持たない。役所の窓口同様、各国から寄せられるデータを待つだけで、自ら踏み込んだ情報活動をする体制も能力もない。

この構造的弱点にさらに輪をかける事情がある。脅威に直面する度合いが大きい国ほど情報戦を戦う意識が高い。併合意図を隠さない中共と向き合う台湾、各種テロ勢力に囲まれたイスラエルがその典型である。

ところが国連は、まさにその台湾とイスラエルを継子扱いしてきた。台湾は中共の圧力で加盟すら許されず、イスラエルはアラブ諸国や国際左翼勢力の圧力でいまだ一度も安保理非常任理事国に選ばれていない。

近年国際的に被害をもたらした感染症では、ＳＡＲＳと武漢肺炎が中国、ＭＥＲＳが中東を発生地とする。中国と中東は今後も要警戒地域だろう。それゆえ、感染情報を素早く得、自衛措置を講じるには、台湾とイスラエルを含んだ情報ネットワーク作りが肝要となる。それは国連機関には期待できない。

感染症の中国抜き「有志情報同盟」構築を

といって、新たに「第二WHO」を作るといった発想にも注意が必要である。鈍重な国際官僚機構をもう一つ生み出すだけに終われば、かえって機動力を失う。

正解は、有志諸国が、それぞれの情報機関に感染症対策部門を設け、本格的な情報収集活動に当たるとともに、相互の連携を密にしていくことにあるだろう。

この点で参考になるのが、ブッシュ（子）政権時代に立ち上げられた拡散防止構想（PSI）である。

核関連物資の密輸阻止が主目的で、本部ビルや新たな官僚組織などは作らず、有志諸国間の情報網構築や共同訓練など現場レベルの取り組みが重視された。「PSIは組織ではない、行動だ」が構想の中心人物ボルトン米国務次官（当時）が強調した言葉である（逆に「国連は行動ではない、組織だ」と揶揄《やゆ》している）。

NATOやEUも参加させるという話が出たが、ボルトンは拒否した。それら巨大官僚機構を関与させると、会議が増えるばかりで即応性を損なうからである。なお、当時はまだブッシュ、プーチン両大統領間の関係がよかったため、ロシアはPSIに参加を表明したが、中国は参加を拒んだ。

このＰＳＩの成果の一つが、核物質を積んでリビアに向かう密輸船の拘束だった。突破口を開いたのはイスラエル対外特務機関（モサド）で、秘密取引の仕切り役アブドゥル・カーン博士（パキスタンの「核開発の父」）がジュネーブのホテルに滞在中、室内に潜入した情報部員が、カバンの中の書類を多数写真に収めた。その中に核運搬船の情報が含まれていたわけである。

感染症についても、場合によってはこのレベルの諜報活動も必要となろう。しかし情報を他国と共有した時点で、収集方法についてもある程度の推測がつく。信頼できる国しか中核メンバーに入れられないゆえんである。

感染症の「情報同盟」は中国抜きのものにならざるをえない。そもそも中共が正直に情報を出すなら特別の情報同盟など必要ない。そして中共も情報の共有先となれば、報復を恐れ、中国人の誰も機微な情報を提供しなくなろう。

また次世代通信規格「５Ｇ」の整備をめぐり、中国通信機器最大手の華為技術（ファーウェイ）のシステムを採用するような政府も中核メンバーにふさわしくない。

ファーウェイは世界の情報空間支配を狙《ねら》う中国の国策会社、より正確には中国共産党の「党策」会社である。

アメリカのテッド・クルーズ上院議員に「四つの目は六つの目に勝る」という名言がある。クルーズを含む米国の保守派は、英国政府が「中国のスパイ機関」ファーウェイの製品を通信システムに組み込むなら、米英豪加ニュージーランドによる情報同盟「ファイブ・アイズ（五つの目）」から外さざるをえないと主張してきた。

目が四つに減っても、英国を通じて中国という六つ目の目が覗《のぞ》き込む事態よりはるかによいという意味である。感染症との戦いは熾烈《しれつ》な情報戦の一面も持つことを意識しておかねばならない。

こうした同盟国アメリカからの圧力もあり、二〇二〇年七月一四日、英国のボリス・ジョンソン政権は、5Gの整備に関し、ファーウェイ製品を排除していく方針を決めた。

これは米商務省が五月一五日に発表した新規制措置に応じたものである。他国の企業であっても、米国製の製造装置やテクノロジーを用いて生産された半導体をファーウェイに提供する場合、商務省の許可を得なければならない。米側のさじ加減にもよるが、事実上の対ファーウェイ禁輸措置と言える。違反した場合、米市場からの締め出しはもちろん、経営幹部の訴追や巨額の罰金もありうる。

関連して、先進七カ国（G7）にオーストラリア、インド、韓国を加えた民主国家一〇カ国（D10）の枠組で、情報通信分野での中共の覇権を阻止する構想もある。さらに反中経済包囲網「経済繁栄ネットワーク」（ＥＰＮ）もアメリカ主導で進められている。中共はこれらに対抗すべく、各個撃破的に嫌がらせ攻勢を強めており、戦いは熾烈の度を増していこう。

体質としての「産業スパイ国家」の異形性

日米のような自由主義体制と中共のようなファシズム体制では、同じ表現を用いても、常に「認知のズレ」（cognitive dissonance）があることを意識しておかねばならない。

それを、実際の交渉体験から活写した一節がアメリカのウィリアム・バーンズ元国務副長官の回顧録『裏交渉』にある（William J. Burns, *The Back Channel*, 2019）。

オバマ政権の末期、米側代表として米中「戦略安保対話」に臨んだバーンズは、人民解放軍などによる組織的な「サイバー産業スパイ」活動を取り上げ、具体的な証拠を示しつつ、即座に中止するよう求めた。結果は、約七時間に及ぶ押し問答となったという。

中共側は頑として証拠の認知を拒んだが、バーンズはその背後に「より広い意味の認知のズレ」を強く感じたという。

米側は、「国家安全保障のためのスパイ行為と、経済的優位を得るためのスパイ行為」

を峻別《しゅんべつ》し、前者はプロの情報機関同士の「日常業務」であり「やられた方が悪い」と言うべき世界だが、後者は「堅気に手を出す」行為であって仁義にもとるとの立場を強調した。

ところが中共側の口ぶりには、「政治的であろうが経済的であろうが、政府とはあらゆる手段を用いて優位を築いていくものだ」との姿勢がありありと窺《うかが》えた。独裁政権の感覚では、そもそも政府や党は法律外の存在、すなわちアウトローであって、その行動を縛る道徳やルールなどないのである。

また情報作戦の遂行に当たって「政府」と「民間」の区別など意識されない。外国の組織や個人は政府、民間を問わずすべてスパイ行為の対象となる。一方、中国の組織や個人は、政府、民間を問わず、すべて国家情報活動の先兵として動かねばならない。

サイバー分野以外でも、例えば尖閣諸島への圧迫強化作戦に当たって、中国海軍と「漁船」は密接に連携してきた。両者の間に明確な線はなく、「海上民兵」が乗る漁船は軍の別動隊に他ならない。

中共幹部と机を挟んでやり取りする中でバーンズは、相手が異形の存在であることを鋭く感じ取ったわけである。ところが彼の話はここから妙な方向に進んでいく。

具体的証拠を示しての長い説得が何の効果も生まず、またオバマ大統領が明示した懸念がはねつけられ、無視されるのを見て、われわれはやむなく中国の情報機関員数名の起訴に踏み切った。中国政府が彼らをアメリカの司法システムに差し出す可能性はゼロだったが、われわれの意図するところは伝わった。米中両国は最終的に一般合意に達し、中国側はサイバーを通じた産業窃盗行為を顕著に減らした。

「一般合意」とは、訪米中の習近平とオバマが共同発表したサイバー攻撃取り締まり合意を指す（二〇一五年九月二五日）。しかしその後も中国側による知的財産の窃盗行為はやんでいないというのが、トランプ政権のみならず、米議会、米メディアの一致した見方である。

賢明なはずのバーンズが現実から遊離した総括を行う背景に、単なる紙の上の合意を「実質的な成果」「一歩前進」と評価したがる外交当局の宿痾《しゅくあ》がほの見える。被告人を法廷に立たせる可能性が初めからないと分かっている起訴が中共指導部に衝撃を与え、姿勢を改めさせたという見立ても明らかに甘いだろう。

バーンズは異例の出世を果たした超エリート外交官だった。国務省のキャリア官僚は、普通、省内ナンバー3の政務担当国務次官（Under Secretary）が昇進の上限だが、バーンズは、民主、共和両政権から実務能力を買われ、省内ナンバー2の国務副長官まで上り詰めた。二〇一四年に退官し、カーネギー財団理事長の座に就いている。

回顧録の中でバーンズは、国務省には交渉相手国の立場に「理解を示し過ぎ」、いつしかその代弁人のごとくなってしまう職業病があり（国務省内でも自虐的に「クライエント病」と呼ぶ）、自分はそうした勢力と常に闘ってきたと強調している。

また陸軍軍人の家庭に生まれ育ったバーンズは決して反軍リベラルではない。圧倒的な軍事力とそれを行使する意思に支えられてこそ、特にテロ国家相手の外交は機能するとの考えを繰り返し記している。

その人にしてこうした、全体主義政権に「理解を示し過ぎる」状態に陥るわけである。国務省と世間一般における「認知のズレ」も相当なものと言えよう。

もう一つのウイルス（情報空間支配）との戦い

トランプ政権のピーター・ナバロ通商担当大統領補佐官はかねて、「独裁的でますます軍国主義的となってきた中国への経済的依存を減らさないなら、将来弾丸やミサイルが飛んできても全くの自業自得だ」と、中共の軍資金を枯渇させる意味でも、米国および同盟国は中国製品を買い控え、供給網から外していかねばならないと主張してきた。「米中新冷戦」や「米中のハイテク覇権争い」といった言葉をよく目にするが、事は「米中」の問題ではない。繰り返すように文明対ファシズムの闘いである。

そして目下の主戦場は「情報通信」である。ここで中国が覇権を握れば、サイバー空間の支配に加え巨額の軍拡資金、工作資金が流れ込む。文明諸国による対中包囲網の形成が欠かせない。

この点、アメリカからの圧力を受けてではあるが、日本政府の初動は、欧州諸国に比べ早かった。先に触れたとおり、英国政府が５Ｇシステムからのファーウェイ排除を決めたのは二〇二〇年七月だが、安倍政権は二〇一八年末に、名指しこそしないものの、実質的に政府調達からファーウェイを閉め出す方針を決めている。政府の意向を受けた民間企業の反応も早かった。

例えば大手企業中、ファーウェイと最も密接な取引関係があったのはソフトバンクだが、同社の宮内謙社長が、一二月一九日の記者会見で、５Ｇの基地局整備に関して既存の方針を覆し、ファーウェイからの調達をやめると正式表明した。

「（ファーウェイは）もの凄《すご》く技術力が良くて価格も安いので、今後も使いたいのは山々だ。ただ政府の方針には沿いたい」という宮内の言葉が政府主導の意義を示している。

企業経営者としては、「技術力が良くて安い」ものを使わないと株主から追及を受けかねない。中国政府による各種嫌がらせも予想される。日本政府の指示なので従わざるをえない、という形を政府がいかに迅速に作れるかが今後ともカギになる。

法治国家である以上、議会が法律制定によって政府を後押しせねばならない。さらには「政府より一歩前に出る」動きも重要である。そのことが政府の対中交渉力および戦闘力を高める。

この点、米政府と米議会は近年、文明の将来を賭《か》けた戦いを先導する国にふさわしい動きを見せてきた。

ファーウェイに関する日本政府の上記方針決定に先立って、二〇一八年一二月一日、米中首脳会談（於ブエノスアイレス）が行われた数時間後に、米司法省の要請を受けたカナダ当局が、ファーウェイの副会長兼最高財務責任者で創業者の娘、孟晩舟《もうばんしゅう》を「対イラン制裁法」違反容疑で逮捕した。

米政府はこの数カ月前から、同盟国、友好国に対し、同社はじめ中国通信企業を政府調達から締め出すよう圧力をかけてきた。

孟容疑者の身柄確保は、米政府はファーウェイ追及に本気であり、同社と取引を続けるならば、今後第三国の企業、経営者も決して安泰ではなく、アメリカの刑事訴追のターゲットになりうるという、国際的な念押しのメッセージともなった。

中国製ハイテク機器の危険については、この分野に精通した時田剛（ＮＲＩセキュアテクノロジーズ主任セキュリティコンサルタント）の指摘が分かりやすい（日本経済新聞二〇一八年一二月一二日）。

要約すれば、「例えば中国製通信機器に、仕様書にないポート（通信の出入り口）が見つかった例がある。インターネットで外部と通信が可能なため、不正にデータを盗み出すバックドア（裏口）に悪用できる。携帯電話の基地局については、そこを経由するスマホの端末識別用の情報や通信の宛先情報が分かる。企業のネット接続用ルーターなどは、設定次第で社内ネットワークに流れるあらゆる情報を取得できる。最近の不正プログラムは特定の時間しか動作しないなど手が込んでいて、ここまで検査すれば安全というゴールを設定できない」というのである。

米国では、二〇一八年八月に成立した国防権限法が、ファーウェイなど中国の通信五社を名指しし、「安全保障」上、政府機関や取引企業の調達先から排除せねばならないと規定した。

さらに「対象国」を唯一「中華人民共和国」と明記した上で、国防長官、国家安全保障長官、連邦捜査局（ＦＢＩ）長官が「対象国政府と関係がある」と「合理的に信ずる」いかなる企業も追加的に排除できるとした。議会が政府に強力な武器を与えたと言える。

同法案は上院を八七対一〇、下院を三五九対五四の圧倒的多数で通過した。議会の意思は明確に示されたと言える。その後、二〇二〇年七月一六日に、実施細則の設定、周知期間を経て施行された。

翌日、中国外務省の報道官が、日本政府などに対して、「中国企業を公平に扱い、無差別な環境を提供するよう望む。アメリカ政府は国家安全の概念を過大解釈している。正義感のある国は立ち上がってほしい」と呼びかけた。最後の「正義感」云々は今年の倒錯語大賞と言いたくなるほど厚顔なものだが、いかにも中共らしい。

ファーウェイと取引のある企業は米市場から締め出されていき、取引を隠して営業を続けた場合、巨額の罰金に加え、経営幹部の訴追、収監といった事態にもなろう。もちろん日本企業、日本人経営者も例外ではない。

同盟国と相談、合意の上で物事を進めるべきだというエリートたちの声もあるが、中共の圧力に屈する国も多く、その最大公約数を取れば踏み込んだ措置にはなりえない。結局、中国包囲網を構築するには、アメリカが制裁を振りかざして強引にリードしていく以外ないだろう。

中国排除に本気な米議会

米議会では、通信分野のみならず米企業の知的財産を窃取したと見られる中国のすべての企業を米市場から締め出すという動きもある。

経済面でも安全保障、人権面でも対中強硬路線を主導してきたマルコ・ルビオ上院議員（共和党）は、「中国にサプライチェーンを有する米ハイテク企業は、いかに困難を伴おうとも依存の低減に本腰で取り組まねばならない」と警鐘を鳴らし続けてきた。

同じくテッド・クルーズ上院議員（共和党）も、「ファーウェイは通信企業の皮をかぶった中国共産党のスパイ機関だ。その監視ネットワークは世界を覆い、その顧客はイラン、シリア、北朝鮮、キューバなどのごろつき国家だ」と国際的に排除を徹底すべしとの意見を繰り返しおおやけにしている。

ルビオとクルーズは、二〇一六年の大統領選で、共和党の候補指名をトランプと最終盤まで争った中堅の実力者である（ルビオは一九七一年生まれ、クルーズは一九七〇年生まれ）。二〇二四年の大統領選では、いずれも再び名乗りを上げると見られている。

この二人に、二〇一八年一〇月、二〇一九年一〇月と、政権を代表して二度の対中国全面批判演説を行ったペンス副大統領、女性のニッキー・ヘイリー前国連大使を加えた四人が、共和党内でポスト・トランプを争う最右翼である。いずれも名うての対中強硬派であり、少なくとも共和党政権である限り、対中締め付けが緩むことはないだろう。

先に、孟晩舟ファーウェイ副会長の対イラン制裁法違反容疑での逮捕に触れたが、これは国連制裁でも有志連合による制裁でもなく、あくまでアメリカの国内法に基づくものである。すなわち「単独制裁」だが、アメリカの場合、国際制裁と同様の効果をもたらしうる道具を複数持っている。

箇条書きにすれば、

①制裁対象国と取引を続ける企業の米国市場からの締め出し、および米企業が特許を有する最先端技術の使用不許可。
②米金融市場からの締め出し、すなわち国際通貨ドルによる決済をできなくする。
③制裁対象国との取引を申告せず、あるいは偽装工作をして米市場で商売を続けた企業、経営者に対する、国際標準よりはるかに高い罰金、はるかに長期の収監。在香港子会社を通じた偽装取引が対イラン制裁法違反に問われたファーウェイ副会長の場合、カナダから米国に移送されれば、その後追加訴追された知的財産窃取、金融機関

への虚偽報告などの罪を併せ懲役六〇年超の判決が予想されるという。それは、容疑者が司法取引に応じて「すべてを吐く」代わりに、罪の大幅軽減や、場合によっては米情報機関の庇護《ひご》のもと名前を変えて平穏に暮らす道を選ぶ誘引ともなる。

④軍事圧力を通じた経済制裁の実効性確保。軍事圧力と経済制裁は本来別の事象だが、戦雲垂れ込める地域に投資しようという企業家はいない。軍事圧力には、企業の投資意欲を削ぎ、撤退を促す、すなわち経済制裁の実効性を高める効果がある。

以上いずれも、他国の企業に、米「単独制裁」に従うことを余儀なくさせるアメリカならではの圧力手段と言える。

日本では、「制裁は単独で実施しても効果がない。だからすべきでない」で議論が終わりがちだが、アメリカでは、上記四点をどこまで実行して単独制裁を国際制裁化できたかが問われてくる。

なおカナダ当局がファーウェイ副会長を拘束した一〇日後、中共はカナダ人男性二人を拘束し、約一年半後の二〇二〇年六月一六日、スパイ容疑で起訴した。ファーウェイ副会長と交換に持ち込むことを狙った明らかな「人質外交」である。アメリカが他国に対中制裁への同調を求める度合いが増すにつれ、中国を訪れる各国国民が人質にされる危険性は高まる。不要不急の往来を控えるのはもちろん、経営者は対中ビジネスを安易に継続拡大して社員を危険にさらすことを避けねばならない。

アメリカ、WHO脱退の論理

二〇二〇年五月二九日、トランプ大統領は中国に関する演説の中で「中国に支配され」、本来の責任を果たさず、改革の意思も見せない世界保健機関（WHO）との「関係に終止符を打つ」と脱退を表明した。WHOに拠出予定だった資金は「他の国際的な、資金を出すに値する緊急性の高い保健事業に振り向ける」としている。

米保守派はこれを歓迎したが、日本では否定的な捉え方が多いようだ。「またトランプが国際社会での責任を放棄し、身勝手な行動に出た」というわけである。はたしてそうか。

むしろ米政府の脱退の論理を精査し、日本に根深い「国連信仰」を見直す契機とすべきだろう。日本もアメリカ同様、WHO総会に台湾をオブザーバー参加させるべきと提案したが、中共の番頭というべきテドロスWHO事務局長（エチオピア出身）に無視されている。にもかかわらず、唯々諾々と国民の税金を渡し続ける行為こそ無責任だろう。

アメリカのWHO脱退はトランプの独断専行ではない。むしろ議会内の保守派が先行して動いた。

急先鋒《きゅうせんぽう》はリック・スコット上院議員（共和党）で、マルコ・ルビオ、テッド・クルーズ両上院議員（共和党）らも強く賛同し、台湾のWHO参加、テドロス解任が拠出金継続の前提になるとの立場を打ち出した。

スコットは、WHOが中共に寄り添い、「人から人に感染する証拠はない」「旅行制限は必要ない」など立て続けに誤情報を流したことがパンデミックを招いたとして、まずWHOが自主的に内部調査を行うよう二〇二〇年二月段階で求めている。これにWHOが応じなかったため、拠出金減額案を議会に提出した。段階を踏み、一貫性を持った対応である。

翻って日本はどうか。

政府、国会ともWHOに対し何のアクションも起こさない、どころかアメリカとは逆方向の動きを見せた。二〇二〇年三月一九日の参院政府開発援助（ODA）特別委員会で茂木敏充外相は、武漢ウイルスを巡る国際貢献の一環としてWHOなど複数の国際機関に総額約一五〇億円を追加拠出すると表明している（WHO向けが最大で、五〇億円）。テドロスはじめWHO幹部の責任を問い、改革を求めるような何の条件も付けていない。

アメリカがＷＨＯへの拠出を止めても、安易に穴埋めする日本のような国がある限り、改革は進まないだろう。焼け太りの助長ですらある。

日本政府当局者は、「中国の動向をにらみつつ、ＷＨＯへの影響力を強める」ための拠出増だと「背後の狙い」をメディアに説明したという。米国務省なども議会に対してこの論理をよく使う。

国際機関から脱退というと、必ず関係省庁の官僚が、「それをやったらおしまい。中国の影響力を増すだけ」と強く反対する。

しかし「資金を出せば、それだけ発言力が増す」という守旧派官僚の主張に反して、現に日本の発言力は高まっていない。

仮に日米などがＷＨＯを脱退後、中国がその分拠出金を増やし、よりはっきりと影響下に置くなら、むしろ支配の実態が浮き彫りになり、中国の責任を問いやすくなる分、好都合だろう。

日本は、アメリカや台湾とともに、ＷＨＯとは別に透明性と専門性を備えた「国際保健協力ネットワーク」（仮称）を作り、独自の判断でＮＧＯ支援を進めていけばよい。旧来の国連機関のような壮麗な建物や官僚機構は要らない。有志情報同盟の場合と同じである。重要なのは迅速な行動である。

新型ウイルスは今後とも中国で発生する可能性が高い。中共に近いＷＨＯを権威とする姿勢を改めない限り、日本はそのつど感染の渦に巻き込まれることになろう。

なお、国連機関というと聞こえが良いが、要するに「特殊法人」である。幹部職員は各国の官僚ＯＢで占められている。整理縮小に官僚が必死に抵抗するのは、居心地よい第二の就職先、出向先を奪われるからである。事情は、国内の特殊法人改革が挫折に終わる経緯と変わらない。

国連機関が少なからず、設立趣旨に反して、単なる中間搾取団体、さらには民間活動を妨害する存在と化しているのも特殊法人の場合と同じである。

途上国支援は、「援助貴族」と言われるＷＨＯや国連開発計画（ＵＮＤＰ）のような肥大化した官僚組織を通すのではなく、実績あるＮＧＯに直接資金供与する方がはるかに効率がよい。

二〇二〇年春、新型コロナウイルスの影響で経営に打撃を受けた中小企業に国が最大二〇〇万円を支給する持続化給付金をめぐり、事業を委託された経産省の外郭団体がほとんどの業務を大手広告代理店に再委託しながら、二〇億円を事務経費名目で「中抜き」していると野党が追及した。

事務経費はできるだけ抑えて、本体の事業費を最大限充実させるべきで、この場合の妥当性は別として、野党の追及趣旨はよく分かる。

しかしそれなら、毎年国庫から出て行く国連諸機関への拠出金についても同趣旨の追及が行われねばならないだろう。拠出金凍結や脱退を武器に無意味有害な事業や中間搾取を排していかねばならないはずである。ところがそちらはほとんど素通りである。

国連と聞くと思考停止に陥る習性を改めないと、日本はどこまでもカモにされる。官僚任せでいる限り、拠出金の減額ないし停止を武器に改革を迫るような動きは出てこない。日米の違いは結局、政治家の意識の違いということになろう。

今後も歩調を合わせる中共とＷＨＯ

なおテドロスは高まる批判を振りほどこうと焦ったのか、二〇二〇年四月八日、黒人の自分に対する人種差別的言動が台湾から噴出していると、会見の場で根拠なき誹謗《ひぼう》中傷を行った。

アメリカでリベラル派がよく政争に使う「人種カード」の国際版である。これに対し、イギリスに留学中の台湾人女子医学生ヴィヴィ・リン（林薇）がユーチューブで情理を尽くした反論を行い、テドロスに謝罪を求めて国際的話題となった。しかしテドロスは聞こえぬふりをして何の誠意も見せなかった。このあたりも中共の報道官を彷彿《ほうふつ》とさせる振る舞いである。

その少し前、実際の中共報道官の言動が物議をかもしている。産経新聞の記事から引いておこう。

　イタリアでは3月、中国外務省がマスク支援について公表したツイッター映像に、偽造疑惑が沸騰した。住民がベランダで歌い、拍手する映像で、「中国国歌が演奏される中、『ありがとう、中国』と声をあわせるイタリア人」と紹介された。だが、同じ映像が伊紙のウェブサイトにあったことが、報道で判明した。伊国民が、ウイルスと闘う医師や看護師に拍手を送った様子を報じたもので、中国とは関係がない。（四月二七日）

ここにいう「ツイッター映像」とは、日本の政界にも（不見識なことに）ファンが少なくないという女性の華春瑩《かしゅんえい》報道官名で出された三月一五日付ツイートを指す。英文でこうある。《Amid the Chinese anthem playing out in Rome, Italians chanted "Grazie, Cina!". In this community with a shared future, we share weal and woe together.》

産経の記事が引いた部分に続き、「われわれは幸福も苦悩も共有する」とあるのがことさら空しく響く。テドロスも同時期、中国のコロナ対応を模範的とほめそやし、国際的に怒りと失笑を買っている。中共とWHOは、今後も歩調を合わせて国際情報戦を展開していくと見ておかねばならない。

北京の後押しで、テドロスは国連事務総長の座を狙っているといわれる。アメリカで保守政権が続く限り、安保理常任理事国としての拒否権を発動して阻止するだろうが、民主党政権になれば、単に棄権くらいで実現を許してしまうかもしれない。そして韓国の潘基《パンギ》文《ムン》はじめテドロス程度の人物が何人も事務総長になってきたのが国連の歴史でもある。

アメリカの国連人権理事会脱退は当然の判断

WHO脱退に先立ち、二〇一八年六月一九日、トランプ政権は国連人権理事会からも脱退している。以後、拠出金は払っていない。日本では予想どおり、「人権に背を向けたトランプ」といった単純な批判が多く聞かれた。しかしここでも「中国」が、アメリカの決定の最重要ファクターである点を見落としてはならない。

そもそも二〇〇六年に、年三回数週間のみ開催の国連人権委員会が常設の人権理事会に衣替えした際、当時のブッシュ（子）政権（共和党）は、人権抑圧国を理事から排除する仕組みなど本質的な改革がなされていないと批判し、参加しなかった。

二〇〇九年にリベラル派のオバマ政権（民主党）が誕生し、一転、参加を決めたが、再び共和党政権に代われば脱退は十分予想できたことだった。何ら「トランプの暴走」ではない。

当時朝日新聞は、「大国の原則軽視を憂う」と題する社説で「人権を重んじる大国を標榜《ひょうぼう》してきた米国が、自らその看板を下ろす行動を続けている。……（国連人権理事会は）国連総会が選ぶ47の理事国が集い、世界の人権を監視している組織だ」と書いている（六月二二日）。

しかし実際の人権理事会は、人権問題の追及をむしろ阻害する存在となっている。中国の行動を見ればよく分かる。

国連の組織において、加盟国全体に経済制裁を義務づけ、さらには軍事制裁への参加まで呼び掛ける決議を行えるのは安全保障理事会のみである。

したがって重大な人権蹂躙《じゅうりん》は安保理で取り上げてこそ意味がある。しかし中国が拒否権を盾に、「安保理は安全保障問題を議論する場。人権問題は人権理事会で取り扱うべき」と主張する。ところが人権理事会（国連総会の投票で選ばれる四七カ国で構成）は、理事国に関わる問題は取り上げないという不文律のもとで運用されている。

その理事国には中国、キューバ、シリア、ルワンダ、ベネズエラなど極めつきの人権抑圧国が互いに票を入れ合う談合を通じ、繰り返し選ばれてくる。事実上、中国を中心とした人権抑圧国の「相互もみ消し」組織と化しているわけである。

要するに「人権問題は人権理事会で」という中国の主張は、まず事案を制裁権限を持つ安保理から制裁権限を持たない人権理事会に追いやった上で、メンバー国の事案は取り上げないという不文律を盾に握りつぶしていくという意味に他ならない。

ニッキー・ヘイリー米国連大使（二〇一八年当時）は、「偽善と腐敗」に満ち、「恐るべき人権抑圧履歴を持つ国々の隠れ蓑《みの》となっている人権理事会」にこれ以上正統性を与えないよう、アメリカが率先して脱退したと述べ、以後安保理で積極的に人権問題を取り上げていく意向を表明した。米保守派はおしなべてこの決定を支持している（遅すぎたという声はあったが）。

実際、アメリカは安保理の議長国（一カ月交代）が回ってきた月に、中露の反対を抑えて、議長権限でイランの人権問題などを議題に載せている。

制裁決議の採択となれば、中国やロシアが拒否権を発動するだろうが、むしろ目立つ形で反対させた方が、その後の有志諸国の糾合に弾みが付くという認識が背後にある。

少なくとも人権理事会で人知れず葬られるよりはるかによいとの判断である。それは、無意味有害な国連機関は脱退した方が中共包囲網の形成に資するとの判断でもある。

ヘイリーは二〇一九年出版の回顧録の中で、水面下でアメリカの人権理事会批判、中国批判に同調する国は少なくなかったが、表立って声を上げる国はほとんどなかった、「彼らは強い信念をわれわれの前で吐露したが、はっきり戦う勇気を欠いていた」と述懐している（Nikki Haley, *With All Due Respect*, 2019）。その中には残念ながら日本も含まれるだろう。

国連大使として「真の邪悪を見た」と言うヘイリーは、国連は「米国やイスラエルを非難する独裁者のつまらぬ点数稼ぎ演説に多くが立ち上がって拍手する場」と切り捨てている。

また米国の国益上重要な決議案に反対した国は「名前を記録し、覚えておき」、援助停止などでしっかり落とし前をつけるとも強調している。従来どおり大目に見てもらえるだろうといった甘い幻想ははっきり打ち砕くというわけである。

同じくヘイリーが指摘するように、人権理事会は、中東で唯一、民主制の確立したイスラエルに対して、北朝鮮、イラン、シリアに対する非難決議を合わせたよりも多くの非難決議を採択してきた。アラブ諸国主導で年中行事となっており、少なくともイランによるイスラエルへのテロ攻撃支援などと合わせて論じなければアンフェアだろう。

アメリカが人権理事会への資金拠出をやめた結果、日本が最大の拠出国となった。しかし日本政府にも国会にも、アメリカの保守派のような問題意識はみじんも見られず、ただ無批判に国民の税金を右から左に渡すのみである。

人権理事会にも例外的に功績はある。二〇一三年三月に「北朝鮮の人権に関する国連調査委員会」を設置したことがその筆頭だろう。同調査委は翌年二月一七日、北朝鮮では最高レベルの決定によって、広範囲にわたる「人道に対する罪」が行われているとの報告書を発表した。ただし付属文書において、北朝鮮と国境を接する中国政府から協力が得られなかったことは大変遺憾と特記している。ここでも中共は妨害勢力だったわけである。

香港弾圧に米国よりも中国を支持した国連加盟国

二〇二〇年六月一二日、アフリカの五四カ国が人権理事会に書簡を提出し、黒人に対する「組織的な差別、警察の残虐行為、平和的な抗議デモへの暴力」を議題とするよう求めた。一九日、人権理事会は、米国を名指しする表現を複数箇所で削除したものの、黒人への「構造的な差別」について報告書を作成するよう国連人権高等弁務官に求める決議を採択した。

これに対しポンペオ米国務長官は、「国連人権理事会がアメリカの警察と人種について議論を始めるとしたことは、この機関の最低記録を更新するものだ。米国内で進行中の民間レベルにおける活発な議論はわが民主制の強さと成熟を示している。ベネズエラやキューバ、中国からなる、この冗談のような『人権』フォーラムを脱退したのは正しかった」とツイートしている（二〇二〇年六月二〇日）。

ヘイリーも、「アメリカは完璧ではない。しかし、中国の強制収容所、キューバの政治的殺人、シリアの拷問、北朝鮮の国策的飢餓、アフリカの一部における奴隷制などの議論を拒む国連人権委員会がアメリカの警察について議論するとは漫画だ」と批判の声を上げた。そのとおりだろう。アメリカの「警察対黒人」問題については次章で詳しく論じたい。

なお、中国が中英条約違反の「香港国家安全維持法」を施行した六月三〇日、日英仏など二七カ国が批判声明をまとめ、人権理事会の場でイギリス代表が読み上げた。

二七カ国は同時に、ウイグル人など少数民族の恣《し》意《い》的な拘束や監視、行動制限への懸念も表明し、新疆ウイグル自治区への人権高等弁務官の「有意義な立ち入り」を許可するよう求めている。

一方、ほぼその二倍に当たるキューバなど五三カ国が、「主権国家に対する内政不干渉が原則」などと中共を支持する内容の共同声明を発表した。国連の実態を如実に示す光景であった。以上のような実情を知るほどに、日本でも人権理事会脱退論が強まるものと期待したい。

第3章

米国「抗議暴動」の真相は何か

――「黒人の命は大事」（BLM）とアンティファ――

フェイクニュースにあふれた黒人暴行死事件

「アメリカこそ黒人がひどく差別され、警察の暴力が横行する非人権国家だ」。ウイグル、チベットでの民族浄化的弾圧や香港「警察」の暴力行為が問題にされるたび、決まって中国政府が用いる反撃セリフである。

こうした反米プロパガンダに自由主義陣営内部が動揺し、結束を乱されるならば、中共の思うつぼである。

実際ある外務省幹部から聞いた話だが、二〇二〇年先進七カ国サミットの準備作業で、共同声明に「香港」をどう盛り込むかが議論された際、少なからぬ国の担当者から、アメリカの人種差別問題が尖鋭化している以上、人権であまり踏み込めないとの意見が出たという。踏み込みたくない口実に使った、と見てもあながち不当ではないだろう。アメリカの「黒人の命は大事」運動（Black Lives Matter，以下ＢＬＭ）の実態を正確に把握せねばならないゆえんである。

二〇二〇年五月二五日、ミネソタ州ミネアポリスで、白人警官が黒人男性を拘束後に死亡させる事件が起こった。被害者の名を取って「ジョージ・フロイド事件」と呼ばれる。

大規模な暴動や偉人像破壊のきっかけとなった件なので、やや詳しく経緯を追っておこう。

午後八時、ある食料品店の店員から、黒人男性がニセ札を使ったとの通報が警察にあった。男性は「ひどく酔っている」ように見えたという。

当該黒人男性ジョージ・フロイド（四六）はかつて学生フットボールおよびバスケットボールで活躍した身長二メートルの巨漢だった。

普通、ニセ札犯は急いで現場を立ち去るものだが、フロイドは停めた車に戻り、運転席でじっとしていた。助手席に別の男性、後部座席に女性が一人いた。

最初に到着したパトカーから降り、開いていた車の窓からフロイドに拳銃を向けて降車させ、手錠をかけたのは若い黒人警官のトマス・レインだった。フロイドの口の周りに泡状の白いものが付いていたので、「何か（クスリを）やっているのか」と訊《き》いている。

パトカーの後部座席に乗るよう指示したところ、フロイドは、「閉所恐怖症で息ができなくなる。後部座席には乗りたくない。抵抗しているんじゃない」と訴え、その場に座り込んだ。

ここでフロイドが指示に従っていれば、黒人警官が黒人容疑者を連行した事件として、何の問題にもならなかったろう。

そこに白人警官のデレク・チョービン（当時四四）らが乗る二台目のパトカーが到着した。最年長でレインらの教育係でもあったチョービンが場を仕切る形になった。フロイドを再び警察車両に乗せにかかったが、「息ができない」と繰り返すためいったん路上に戻した。

そこで、うつぶせの状態のフロイドの首の辺りにチョービンが八分近く膝を置き続けた。フロイドはここでも「息ができない」と訴えている。すでに手錠を掛けられ地面に伏せている相手に対して、明らかに不当かつ不必要な力の行使であった。フロイドが動かなくなってからも二分以上、膝を外さなかった。

チョービンは翌日解雇され、重過失致死罪で起訴された。異例の早い対応であった。現場にいた部下の警官三人も、制止を怠ったとして後に解雇、起訴されている。一人は黒人、一人は白人、一人はラオス生まれのアジア系だった。白人警官が寄ってたかって黒人容疑者に暴行したかのようなイメージがあるとすれば間違いである。

解剖所見によれば、フロイドの体内から麻薬のフェンタニルと覚醒剤のメタンフェタミンが検出されている。ある知人の証言では、フロイドは麻薬中毒からの脱却に「まだ苦労している」と語っていた。新型コロナウイルスにも感染していた。

チョービンは約二〇年間の警察官生活の中で、「危険を顧みない行動」で数回、部内表彰を受けている。改造ショットガンを振り回す犯人の射殺などが功績と認められた。一方、乱暴な扱いを受けたという市民の苦情もチョービンに関して計一七件寄せられ、そのうち一件について譴責《けんせき》処分を受けている。交通違反の女性を車から降ろして立たせる不必要な指示があったとの理由である。

チョービンに関して明らかなのは、力の行使に抑制的な警官ではなかったということだ。通行人からビデオ撮影されているのを知りながら、首に膝を当て続けた神経も普通ではない。本来現場から外すべき人物が警察労組の圧力で処分されず、今回の事件に至ったのではないかとの疑問が提起されたのは自然である。

なお事件が起こったミネアポリス近辺は非常にリベラル色が強い。州知事、市長ともに民主党、全一三人の市会議員中一二人が民主党、一人が緑の党、地域選出の連邦下院議員は最左派でイスラム女性のイルハン・オマールである（二〇二〇年八月現在）。ＬＧＢＴＱ人口の割合も全米有数の高さである。警察だけが全体として人種偏見に侵されていると考えるのは無理がある。特定の乱暴な警官による逸脱事例と見るべきだろう。

「黒人の命は大事」運動の一番の被害者は黒人

直後から、トランプ大統領を含む政界の誰もが警官の行為を非難した。その後の騒乱は極左を中心とする便乗暴動であり、略奪放火はリベラル派の首長が警察、州兵による速やかな鎮圧をためらったために起こった人災であった。

ここで、死亡した黒人男性フロイドの経歴も簡単に記しておく。大学を中退後、麻薬所持・売買、窃盗などで数回刑務所に入ったのち、強盗目的の住居侵入、加重暴行（婦女子への暴力）の重罪を犯し、懲役五年の判決を受けて服役した。

しかし二〇一三年に出所後は、薬物依存からの脱却と技能獲得を目指す更生プログラムに参加し、レストランのガードマン等で生計を立てていた。

ところが二〇二〇年初頭からの武漢ウイルス禍により、勤めていたレストランが店内営業を休止し、フロイドは失職した。

すなわち悲劇的事件の背景に中国発のパンデミックがあるわけで、中国政府が事件を「アメリカの病」などと揶揄《やゆ》することに米保守派が反発するのも当然だろう（リベラル派は反発しない）。

二〇二〇年六月六日付でポンペオ国務長官が出した声明は、「ジョージ・フロイドの悲劇的な死」を、自らの人権抑圧を正当化するため「冷酷に利用」する中共の「嗤《わら》うべきプロパガンダ」に間違っても騙《だま》されてはならないと警告する。

「アメリカと中国の状況は全く違う。中国では教会が焼かれた場合、まず間違いなく共産党の指示による攻撃だ。……中国では医師やジャーナリストが新たな疫病の危険を警告すれば、共産党に口を封じられ、行方不明となる」

そのとおりである。ところが米国内では、まさに中共のプロパガンダを裏書きするかのごとく、暴力事態がエスカレートしていく。

フロイド事件が報じられて以降、アメリカ各地で「黒人の命は大事」「息ができない」をスローガンに「人種差別的警察」糾弾のデモが広がった。極左分子が火炎瓶や各種凶器を用いて事態の暴力化を図り、犯罪分子による略奪、放火が数日間続いた。多くの商店やビルが破壊され、従業員が職を失った。警察官を含め死者も出た。

「デモ隊の一部が暴徒化」というメディア定番の表現は正しくない。警察の過剰規制が平和的なデモ隊を怒らせ、事態をエスカレートさせたかのように聞こえるからである。

略奪が主目的の暴徒はデモに便乗した犯罪者である。警察に向かってプラカードを掲げシュプレヒコールを上げる本来のデモ隊と違い、彼らは警察から離れ、警備が手薄になった地域の商店を襲う。政治的主張は、仮にあっても二の次である。

店を壊されたある年配の黒人女性が怒りを吐露する動画が、ツイッターで注目を集め、共感を呼んだ。

「あなたたちは『黒人の命は大事だ』と言う。見てくれ。この略奪は何だ。私は黒人だ。カネが要るなら私のように働け。盗みはやめろ。この街は私たちが築いた。あなたたちがそれを叩き壊した」

以上、女性の悲痛な叫びの要約である。ホワイトハウスもリツイートしている。

アンティファの正体

計画的に警察署や警察車両に放火し、銃や車、その他の凶器で警察官襲撃に走った一群もいた。

ウィリアム・バー司法長官はいち早く、「アンティファ」(反ファシスト)や同類の過激派が暴力行為を扇動し、実行した証拠があるとの見解を表明した。もっとも同時に、アンティファをピラミッド型の組織を持ったテロ集団とみなすと、かえって臨機応変の対応を損なうため、個々の暴力行為に厳格に法執行する形で封じ込めていくとした。

アンティファは極左思想を持つ個人、グループの緩やかな連合体で、従来からある種々の反体制過激派とＢＬＭのスピンアウト・グループ（跳ね上がり集団）とが混淆《こんこう》したものである。ＳＮＳで連絡を取り合いながら、彼らが人種差別的、ファシスト的とみなす集会や構造物に向けゲリラ的にテロ・破壊活動を行う。黒シャツや黒マスクをユニフォームとし、共通のロゴを用いる点で一体性を持つが、全国レベルの指導部や指揮命令系統があるわけではない。

反ファシストを掲げるなら、現代ファシズムの総本山たる中国共産党を批判せねばならないはずだが、そうした問題意識は見られない。逆に毛沢東を偶像視する者すらいる。

日本にも昔から極左暴力集団はあるが、彼らにとって、警察は破壊活動を妨げる「体制の犬」であり、進歩派インテリが好む警察「改革」などは唾棄《だき》すべきブルジョア的欺瞞《ぎまん》に過ぎない。デモは、警察を物理的に攻撃する好機とのみ意識されている。略奪目当ての犯罪者同様、アンティファら極左過激派にとって最も望ましくないのは、デモが秩序正しく平和的に終わることである。

その点、リベラルな報道姿勢で知られるＣＮＮ本社が暴徒に襲われたのは象徴的と言える。

かつて学生運動華やかなりし頃の日本で、朝日新聞が極左から「ブル新」（ブルジョワ新聞）と罵《ののし》られたのと同様、「平和的デモ」や「改革」「対話」といった綺麗《きれい》ごとを並べる主流メディアは、いくら連日反トランプ報道を繰り広げようが、極左にとっては体制の補完勢力に過ぎないのである。

二〇二〇年騒乱の渦中において、極左が編み出した新スローガンが「警察の資金を断て」（Defund the police）だった。これに動揺し、影響された民主党系の首長や地方議員らが早速、警察組織の解体や予算の大幅削減を打ち出している。

例えばフロイド事件が起きたミネソタ州ミネアポリスでは、市議会議員一三人中九人の連名で、いち早くミネアポリス市警の解散を求める動議を出した。「警察なき社会の将来がどのようなものか答えがあるわけではないが、地域社会と話し合っていきたい」と議員らは述べている。無責任なリベラルの典型と言えよう。

さすがにバイデン大統領候補はじめ民主党の主流政治家は「資金を断て」とまでは言わないが、「警察組織には人種差別意識が浸透しており、抜本的改革が必要だ」とＢＬＭに迎合するスタンスを取った。

暴動を煽ったメディア

一方、トランプ大統領はじめ保守派は、「法と秩序」をスローガンに掲げ、「命を危険にさらして人々の安全を守る警察官を誹謗中傷から守らねばならない」と逆に治安体制の充実を打ち出している。

「われわれの警察官たちは悪辣《あくらつ》な攻撃にさらされ、何百人もが負傷し、亡くなった者もいる。思慮のない政治家がわれわれの警察ヒーローたちを敵のごとく誹謗中傷し、『侵略軍』と呼ぶ者すらいる」とトランプは攻撃的口調で述べている。

キング牧師暗殺やベトナム反戦運動の高まりで全米が不穏な空気に満ち破壊行為が蔓延《まんえん》した一九六八年の大統領選では、結局「法と秩序」を掲げた共和党のリチャード・ニクソンが勝利した。

当時も主流メディアはこぞって反ニクソンで、選挙後、メディアと国民感情の乖離《かいり》が話題になった。ある大手メディアの女性幹部が、「私の周りでニクソンに投票した人は一人もいないのになぜ当選したのだろう」と嘆息して失笑を買った話は有名である。

そこまで遡《さかのぼ》らなくとも、二〇一六年の大統領選も警察への対応が一つの争点だった。

警察の根深い差別意識を批判したヒラリー・クリントンに対し、トランプは犯罪分子に迎合しない「法と秩序候補」を標榜《ひょうぼう》し、警察全面支持の姿勢を打ち出した。結果として、警察官の八〇％以上がトランプに投票したと言われる。

二〇二〇年反警察騒乱においても多くのフェイクニュースが流れた。まずトランプの人種差別的言動が暴動を煽《あお》ったと印象付けるような報道が数多く見られたが、彼は容疑者の首に膝を置き続けた警官の行為を明確に批判している。ただ、警察が組織として人種偏見に染まっているという主張に与《くみ》しないだけだ。

トランプは基本的に、人種、性別、民族、宗教、性的指向などに関心がない能力第一主義者である。人権感覚が秀でているというより、関心がないから差別感情も抱かないというのが実態だろう。

経営する企業グループの社員や関係者にトランプが差別的言動をした例はないかとメディアが数十年来探してきたものの、問題にできるようなものは何も見つからない。娘のイバンカが夫に合わせてユダヤ教に改宗する際にも何ら難色を示していない。

なおトランプは、金正恩《キムジョンウン》との米朝首脳会談の場で、日本人拉致《らち》問題の解決を繰り返し迫っている。かたわらにいたボルトン前安保補佐官も「トランプは日本に対する約束を果たした」と回顧録に記している。この点を見ても、彼が人権感覚において平均以下の人間だとは思えない。

　トランプがデモ隊を抑えるために軍の出動を命じたというのもフェイクである。市長や州知事が速やかに警察、州兵を出して略奪放火を止めないなら、連邦大統領の権限で動かせる軍を出して止めると言っただけである。平和的なデモは支持すると、これまた明確に述べている。

　軍の出動は憲法違反というマティス元国防長官らの批判は当たらない。現に、一九九二年のロサンゼルス暴動の際、ブッシュ父大統領が反乱法に基づいて軍を出動させている。反乱法に違憲判決など出ていない。

　行き過ぎた警察攻撃により、最も被害を受けるのは黒人が多く住む地区の中下層の人々である。近年、暴動を伴う反警察運動が起こった地域では、いずれもその後、凶悪犯罪の数が顕著に上昇している（ちなみにアメリカの殺人事件で最も多いのは、黒人が黒人を殺害するケースである）。

　下手にトラブルに巻き込まれ「黒人に暴行した」と言われると解雇、起訴となりかねないため、警察が「積極的治安維持」（proactive policing）をやめ、パトロールを控えがちになるのである。その結果、犯罪者天国となり、商店が去り、雇用が失われる。いつ略奪に遭うかわからない地域に出店しようという経営者はいない。

最も顕著な例を挙げれば、二〇二〇年六月、「黒人の命は大事」暴動の中、シカゴの店舗が甚大な略奪被害を受けた大手スーパーのウォルマートが再建を断念し撤退する方針を決めた。メディアの警察叩きが収まらない中、治安回復が望めないと判断したのである。ウォルマートで働いていた多くの非熟練労働者（黒人はじめマイノリティが高い比率を占める）が職を失い、近隣住民は手近なショッピングセンターを失った。

リベラル派は、ビジネスが都市の中心部から郊外に逃げたことで、黒人が職を失い、犯罪、暴動、略奪につながったと解説するが、事情は逆である。ビジネスの逃避は常に暴動の後に起こっている。「黒人の命」を物理的にも経済的にも守るには、何よりもまず治安の確保が重要である。

反警察感情を煽るようなアジ演説をしたあと、自らは警備の行き届いた郊外の邸宅に帰っていくリベラル・エリートに対する庶民の反感も水面下で高まっているという。当然だろう。庶民には逃げ場所がない。

そして治安の悪化はもちろん、在米日本人や旅行者の命をも危険にさらす。アメリカ経済が混乱すれば、取引先の日本企業も影響を受ける。決して他人ごとではない。

統計が語る「警察対黒人」の実態

リベラル派も保守派も、ある種の警察改革の必要性では一致する。例えば逮捕術の一層の洗練や、非行警官を組合がかばうことを許さない、などである。両者が異なるのは、ジョージ・フロイド事件を、警察が組織として人種偏見に侵されている証と見るかどうかである。民主党側は総じて肯定的、共和党側は総じて否定的である。

リベラル派は、黒人の逮捕、起訴、服役件数が人口に比して多いことを差別の証拠とする。しかし、実態をより精緻《せいち》に観察せねばならない。

『警官への戦争』の著書がある治安問題の専門家、マンハッタン研究所のヘザー・マクドナルドは「ほとんどの場合、人種でなく、犯罪および容疑者の態度が警察の行動を決める」と言う（Heather Mac Donald, *War on Cops*, 2016）。

二〇一九年のデータによれば、アメリカの人口に占める黒人の割合は一三％だが、殺人容疑者の五三％、強盗容疑者の六〇％が黒人である。もちろん貧困や劣悪な生活環境など外部要因によるものだが、事実として黒人による凶悪犯罪が多い。

黒人の殺人事件被害者のうち、警官が加害者であるケースは全体の〇・一％に過ぎない。他はみな、民間人が加害者であり、加害者も被害者も黒人という事例が非常に多い。

警官側の犠牲も見ておかねばならない。警官が黒人男性に殺害されたケースは、非武装の黒人男性が警官に殺害されたケースの一八・五倍に上る。アメリカの警官は、黒人居住区で仕事をするとき、常に身の危険を感じていると言っても過言ではない。

二〇二〇年騒乱は、略奪破壊の機会を窺《うかが》っている人間がアメリカ社会に相当数いる現実を示した。拳銃を隠し持つ者も多い。民主党の政治家や左傾メディアから「警察＝人種差別主義者の巣窟《そうくつ》」の如く指弾されながら、治安維持の最前線に立つアメリカの警察官には相当な忍耐力が必要だろう。

「脅威の誤認」すなわち銃を出そうとしているとの誤解に基づいて警官が発砲した事例では、黒人やヒスパニック（中南米系）警官による発砲の比率が、白人警官のそれより高い。人種差別との批判を恐れる必要がないためだろう（なお二〇一九年中に警官の発砲で死亡した非武装の黒人は九人、白人は一九人で白人の方が多い。黒人を狙い撃ちという非難はここでも数字の裏付けを欠く）。

オバマ前大統領の周辺は、警官が交通違反で停止させた車の内、所持品検査まで及んだのが、白人が運転者の場合は五％、黒人が運転者の場合は一一％（すなわち白人の二倍）という数字を、人種偏見の証拠としてよく挙げた。

しかし、例えばニューヨーク市の場合でいうと、発砲事件の七五％、強盗事件の七〇％が黒人を被疑者とする。指名手配被疑者に占める黒人の割合が高い以上、所持品検査の割合が高くなるのも当然だろう。

「他のあらゆる集団同様、警察にも悪い分子はいる。しかし大部分は素晴らしい人々だ。医者の世界と同じだ」とは、黒人の元神経外科医でトランプ政権の住宅都市開発長官ベン・カーソンの言葉である。カーソンは、警察に敵意を向けるような振る舞いをするなと親に教えられたし、自分も息子たちにそう教えてきた。その結果、深刻なトラブルに遭ったことはないとも述べる。

警察が捜査の手を緩めた結果、凶悪犯が野放しになれば、最も被害を受けるのは黒人である。「偏見」は社会の現状に応じて定義せねばならない。

「黒人の命は大事」の起源――ファーガソン事件

「黒人の命は大事」（ＢＬＭ）が反警察さらには反体制運動のスローガンとなり、ＢＬＭ運動が組織された契機は、オバマ政権時代にミズーリ州ファーガソンで起きた黒人男性死亡事件である（二〇一四年八月九日）。

この時は、事件の直後に小暴動、次いで発砲した白人警官が不起訴になった直後に大暴動が発生した。「手を挙げた！　撃つな」（Hands Up! Don't Shoot）、そして「黒人の命は大事」がデモの標語となった。

この事件はいまだに「丸腰の黒人少年が白人警官に射殺された」と表現されることが多い。

このときも中国が、数カ月後の「米中人権対話」の場で、アメリカの深刻な人権問題として黒人差別を取り上げ、「われわれは皆ファーガソン事件をテレビで見た」と指摘したという。

米側代表のトム・マリノウスキ国務次官補は、「アメリカでは誰でも自由に取材できる。しかしチベットや新疆で暴力事件が起こっても海外メディアは取材を許されない。またアメリカ政府は、被害者の弁護士や現場を撮影した人々を逮捕したりしない」と切り返したという。重要な論点ではあるが、ファクトに十分踏み込んだ反論とは言えない。

ではファクトはどうだったか。「丸腰の黒人少年」とされるマイケル・ブラウンは身長一九三センチ、体重一三三キロの一八歳で、警官と遭遇する前、コンビニ強盗をしていた。盗んだのは細身の葉巻で、中身をくりぬいて麻薬を詰める容器によく使われる。警察が公開した監視ビデオ映像には、店員を突き飛ばして悠然と歩み去るさまが記録されてい

郵便はがき

料金受取人払郵便

牛込局承認

9410

差出有効期間
2021年10月
31日まで
切手はいりません

162-8790

東京都新宿区矢来町114番地
神楽坂高橋ビル5F

株式会社ビジネス社

愛読者係 行

ご住所 〒 TEL:　　（　　）　　FAX:　　（　　）		
フリガナ お名前	年齢	性別 男・女
ご職業	メールアドレスまたはFAX メールまたはFAXによる新刊案内をご希望の方は、ご記入下さい。	
お買い上げ日・書店名 年　月　日　市区町村　書店		

ご購読ありがとうございました。今後の出版企画の参考に
致したいと存じますので、ぜひご意見をお聞かせください。

書籍名

お買い求めの動機
1　書店で見て　　2　新聞広告（紙名　　　　　　　　　　）
3　書評・新刊紹介（掲載紙名　　　　　　　　　　　　　　）
4　知人・同僚のすすめ　　5　上司、先生のすすめ　　6　その他

本書の装幀（カバー），デザインなどに関するご感想
1　洒落ていた　　2　めだっていた　　3　タイトルがよい
4　まあまあ　　5　よくない　　6　その他(　　　　　　　　　　　　)

本書の定価についてご意見をお聞かせください
1　高い　　2　安い　　3　手ごろ　　4　その他(　　　　　　　　　　)

本書についてご意見をお聞かせください

どんな出版をご希望ですか（著者、テーマなど）

た。

パトカーで警邏《けいら》中の白人警官ダレン・ウィルソン（当時二八）が車道を歩いていたブラウンを見とがめ、職務質問した。複数の証言によれば、ブラウンがまずパトカーの窓越しに警官を殴って銃を奪おうとし、さらに車外でも襲いかかったため警官が発砲したという。同日撮られた写真では、ウィルソン警官の顔は腫《は》れあがっている。

素直に両手を挙げたのに撃たれたという通行人の証言が当初メディアに流れたが、後にこの「通行人」はコンビニ強盗の共犯だったことが分かる。銃弾はブラウンの脳天から入っており、フットボールのラインバッカーのように頭から突っ込まれたという警官および目撃者の証言と符合する。大陪審は、正当防衛と判断し警官を不起訴にした。

この決定に対し「司法システム全体が人種差別に侵されている」とする抗議運動が起こる。極左が煽って一部は暴徒化し、便乗略奪、放火も起こった。リベラル派は暴動発生をトランプの「人種偏見に根差す煽情的言動」のせいにするが、暴動はオバマ時代にも起きている。

このときデモ隊が警察に向けて叫んだシュプレヒコールに、「豚を毛布にくるみベーコンのように揚げろ」（Pigs In A Blanket, Fry 'Em Like Bacon）があった。以後保守派が、ＢＬＭの反社会性を示すものとしてしばしば引くところとなっている。

不穏な状況に対処するため、州当局が事件の再検証を行い、さらにオバマ大統領の指示でエリック・ホルダー司法長官（黒人）主導の再々検証も行われた。

この再検証、再々検証のいずれも、当該警官は不起訴相当、人種差別の要素も認められないとの結論に達している。にもかかわらず、ニューヨーク・タイムズやCNNなどリベラル・メディアは「白人警官が無抵抗の黒人少年を射殺」を連想させる報道を続けた。「手を挙げた！　撃つな」のプリントシャツを着るスポーツ選手や芸能人も多数出た。何よりオバマ大統領が「構造的な人種偏見が事件の背後にある」とした当初の発言を取り消さず、逆にBLMのリーダーを招いて指導力を称えるなどしたことが大きい。無責任に誤解を広げたと言われても仕方ないだろう。

もちろん理性的な声も上がった。ウォールストリート・ジャーナル（WSJ）紙のジェイソン・ライリー（黒人）は、「黒人の命にとってはマイケル・ブラウンのような男の方が警察よりはるかに大きな脅威だ」と率直に記している（WSJ、二〇一五年九月八日）。ライリーは、「警察が萎縮することで最も危険になるのは黒人だ」とし、警察叩きが盛り上がった地域で、その後、凶悪犯罪の検挙件数が顕著に減る一方、発生件数は顕著に増えている事実に注意を向ける。警察が行動を控えることで、犯罪者が活気づいているのである。「人種暴動」が起こるたびに繰り返される不幸なパターンと言える。

警察にも不良分子はいるだろう。しかし全米黒人警察協会の顧問ロバート・ウッドソン（黒人）が言うように、「人種偏見が悪いというなら、同様に、ごく一部の行為をもとに警察全体を固定観念で捉《とら》えるのも間違い」である（WSJ、二〇二〇年五月三一日）。

オバマ政権の罪

長く人種差別糾弾を牽引《けんいん》してきたのが牧師で政治運動家のアル・シャープトンである。オバマやクリントンなど民主党政権の時代には頻繁にホワイトハウスに出入りしている。「正義なければ平和なし」（No Justice, No Peace）を掲げ、過激なデモを正当化するシャープトンを、リベラル派は「黒人指導者」と呼ぶが、保守派は典型的なデマゴーグと見なす。

トークラジオ・ホストのケビン・ジャクソン（黒人）は、シャープトンを「人種ポン引き」（race pimp）とまで呼び、その無責任な煽動のせいで略奪、焼き討ちに遭い、生涯を通じて築いた資産や職場を失った善良な市民がどれほどの数に上るかと怒りの声を上げている。

社会評論家のラリー・エルダー（黒人）も、シャープトンを例に、「主流メディアはこれ以上『黒人指導者』というフレーズを使うべきではない。『白人指導者』とは誰も言わないはずだ。騙されやすく指針を欠く黒人には指導者が必要だ、黒人は全体として特定の指導者に従う、という見下した発想が背後にある」と鋭く指摘している。

二〇二〇年の民主党大統領候補ジョー・バイデンが、ラジオ番組の黒人司会者に、「私かトランプか投票に迷っているようなら、君は黒人じゃない」と発言して批判を浴びた。「無神経だった」と謝罪したものの、保守派から「バイデンは黒人が自主的に物事を考えることができないと思っている」と追及された。

バイデンはかつてオバマを「初めて言語明瞭《めいりょう》で賢く清潔でハンサムな主流派の黒人が出てきた」(you got the first mainstream African-American who is articulate and bright and clean and a nice-looking guy) と評して黒人議員らの不興を買った。いずれも、リベラル白人エリートの本音が出た類の失言だろう。

近年、警官の行動が問題になったケースの中には、背中を向けて逃げる丸腰の黒人に連射して死亡させたような明確に違法なものもある。しかし、それらの行為を犯した警官が不起訴になった例はない。いずれも解雇の上、犯罪者として厳格に裁かれている。警官はボディカメラの装着が義務付けられており、より正確な事実検証が行えるようになった。

これは善良な被疑者、警官の双方にとってよいことだと言える。たまたま周りにいた人間が、撮った動画の一部を切り取ってネット上に流すだけだと、無用の誤解を生じさせかねない。

典型的な例が、ファーガソン事件のひと月前に、ニューヨーク市で起こった「丸腰の黒人男性が白人警官に窒息死させられた」事件である。

この場合もオバマが、事実関係が明らかでない時点で、「これは孤立した事象ではない。背後に構造的な人種偏見がある」との趣旨をテレビ・カメラの前で語っている。

しかしここでも、ファクトはどうだったか。黒人男性エリック・ガーナー（四三）は街路上でタバコを違法販売しており、周辺の商店から、客が怖がって寄り付かないとの苦情が警察に寄せられた。ニューヨーク市はタバコ税が非常に高く、海外で仕入れたものを転売すると利ザヤが稼げる。そのためバラ売りを含む路上での闇販売が絶えなかった。男性は身長一九一センチ、体重一六〇キロで肥満体の巨漢だった。過去に三〇回以上の逮捕歴があった。

駆け付けた警官らが職務質問のうえ同行を求めたが、男性が抵抗したため数人がかりで取り押さえた。その際、一人の警官が背後から首に腕を回した（チョークホールド）。ところが男性には喘息《ぜんそく》と心臓の持病があり、首を圧迫されたことに加えて肥満の影響もあって、その場で心臓発作を起こし死亡した。「息ができない」との言葉を一一回発している。

ファーガソン事件と同様、この件についても大陪審は、不当な力の行使や人種差別の要素は認められないと判断し、警官全員を不起訴とした。もっとも後に、ニューヨーク市がガーナー家に約六億円の賠償金を支払い、首に腕を回した警官は解雇されている。

問題は、当時通行人が撮影しインターネット上に流した動画である。画面上で動いていたのは白人と見える警官たちだけだったが、実際に現場で指揮を取っていたのは数メートル離れたところにいた黒人の女性警官だった。時間的にも空間的にも、一部のみを切り取った画面が持つ危険を示す一例である。

このケースについても、オバマは、「構造的な人種偏見が背後にある」とした自身の発言を取り消していない。

その後も断続的に続いた暴動、警官襲撃、略奪などの「報復行為」を受けて、「暴力は何ものも解決しない。犯行を強く非難する」と述べ、冷静な調停者として立ち現れたのみであった。「オバマは政治的放火魔（political arsonist）」との声が保守派から上がったのも故なしとしない。

オバマは同時に、警察における反差別教育の徹底も打ち出した。これも保守派から見れば、諸事件への誤解を広げる上に、逮捕術の洗練などに費やすべき貴重な時間の浪費だった。

草の根保守にカリスマ的影響力を持ったトークラジオ・ホストのラッシュ・リンボーは、「昔は親が子に、警官に逆らうな、素直に応じろと教えた。ところがいまや、警察への反抗こそが正義という雰囲気になっている。露骨な反抗に遭えば、それだけ警官が脅威を誤認して不幸な事態に至るケースも増えざるをえないが、それがまた偏見のせいにされる」と慨嘆する。

当初ＢＬＭの最大の資金提供者となったのは、左翼のタニマチとして知られる国際相場師のジョージ・ソロスだった。オバマも運動のリーダー数人をホワイトハウスに招き、その指導力を称えるなど、権威付けに寄与した。

この間、保守派はＢＬＭを厳しく批判してきた。かつて、「割れ窓理論」（割れたガラス窓を見つけた段階で警察が動く）を掲げ、「積極的治安維持」でニューヨークの治安を劇的に改善させたルドルフ・ジュリアーニ元市長（のちにトランプ大統領の法律顧問）は、「黒人の命が大事というなら、きわめてまれな白人警官による発砲死に焦点を当てるのではなく、黒人が一四時間に一人の割合で、主に黒人によって殺されているシカゴ（オバマの地元）に行って問題に取り組むべきだ」とオバマの言動を批判している。

現場の警察幹部からもＢＬＭに対する批判の声が上がった。例えば二〇一六年七月七日、「黒人を殺す警察」への報復を叫ぶ黒人狙撃《そげき》犯に部下五人を射殺されたテキサス州ダラス市警のデヴィド・ブラウン本部長（黒人）は、デモ隊の前に進み、「解決の一部になれ。地域社会のために働け。問題の一部になるな。われわれも雇っている。抗議の列から離れ、警察官に応募せよ」とマイクで呼び掛けている。

なぜ中国を批判しないのか

また保守派からは、アメリカの警察を差別的、ファシスト的と批判する一方、はるかに抑圧的な中共の政治警察を批判しない黒人のプロスポーツ選手を揶揄する声も上がっている。

二〇一九年一〇月四日、NBA（米プロバスケットボール・リーグ）に加盟するヒューストン・ロケッツの統括部長（GM）が「自由のために闘おう。香港と共に立とう」とツイートした。中国政府はただちに報復に動き、ロケッツをボイコットした。中国はNBAにとって、試合の放映権（年間一五億ドル）や関連グッズ販売など、一大市場である。ロケッツGMは、あわててツイートを削除し、「中国のロケッツ・ファンや友人たちを侮辱するつもりはなかった」と謝罪コメントを出した。

NBAを代表するコミッショナーは、ロケッツGMのツイートを「遺憾（regrettable）」

とし、「われわれは中国の歴史と文化を大いに尊敬しており、スポーツとNBAは人々を一体化させる力になりうると願っている」とのコメントを出して事を収めようとした。ところがこの対応が、「アメリカ国内におけるごく当たり前の発信に、独裁国家の検閲を許すのか」と一大政治問題になる。

ロケッツの地元テキサス州の選出で、長年のロケッツ・ファンだというテッド・クルーズ上院議員が中心となり、NBAコミッショナー宛に「香港の人々を意気阻喪《そそう》させる対応だ」、「中国に各個撃破を許さぬよう一丸となって、今後同種の試みに立ち向かうと明言せよ」などとした公開書簡を発した（一〇月九日付）。

注目すべきは、ここに最左派の若手女性アレクサンドリア・オカシオコルテス下院議員もサインしていることである。日本では考えられない光景だろう。少なくとも連邦議員レベルにおいては党派を超えて一丸であることを示したと言える。

同書簡はまた、「米国内における社会正義や人権の問題について盛んに声を上げてきた」NBAの選手たちが「金銭的利害が絡んだ途端口ごもる」のは「基本的なアメリカの価値への裏切りだ」と黒人のスター・プレーヤーたちにも批判の矛先を向けている。

特にロサンジェルス・レイカーズのエースでバスケット界を代表するスター、レブロン・ジェームズの「よく状況を知りもしないのに口を開いた」とするロケッツGM批判に疑問の声が集まった。

ジェームズは二〇一八年、トランプを批判する文脈で、「いかなる場所で起こる不正義も、あらゆる場所の正義への脅威となる。重要な問題に沈黙し始めるとき、われわれの命は終わり始める」と説諭して話題を呼んだ人物だったからである。

一方、かつての名選手チャールズ・バークリーのロケッツGM批判は一面の真理を突いている。「火に飛び込むなら、火の中に留まらねばならない。しかし彼はすぐに飛び出した。間違ったことを言ったわけではないが、NBAとロケッツ、レブロンやナイキを非常に難しい立場に追い込んだ」。

たしかにロケッツGMに特段の理念や覚悟があったとは思えない。軽さを批判されても仕方ないだろう。ただし、最大の論点は、経済的嫌がらせを武器とした中共の「国際検閲」にどう立ち向かうかである。答えは国際的に「一丸となる」以外ないだろう。

またこの件を契機に、試合開始前の国歌演奏の際、片膝を突いて「アメリカ」への抗議の意思を表したNFL（プロ・アメリカンフットボール）選手たちの行為も改めて論議を呼んだ。選手たちが掲げたスローガンが「黒人に対する警察の暴力を糾弾する」だったからである。

それなら、香港「警察」による暴力にも、率先して声を上げねばならないはず、なぜ沈黙しているのか、二重基準ではないかというわけである。

NFLは膝つき問題で保守層の球場離れが続き、テレビ視聴率も顕著に低下した。自身熱烈なファンだったが見なくなったというラッシュ・リンボーは、「『手を挙げた、撃つな』のスローガンを生み、白人警官が丸腰の黒人少年を射殺したとのイメージが振り撒《ま》かれたファーガソン事件は、メディアによる近年最も成功した嘘だ。私はフィールドの光景を悲しく思う。選手たちは、嘘に踊らされ、大事な顧客を自ら遠ざけている」と嘆いた。

「もし中国なら、彼らは三秒後には姿を消し、二度と消息を聞かないだろう」と揶揄する声も上がった。香港問題は期せずして、米国のアイデンティティ・ポリティクス（差別強調政治）の欺瞞《ぎまん》性や矛盾にも焦点を当てたと言える。

興味深いのは、リベラル派の大御所ジミー・カーター元大統領が、警察に抗議するのは自由だが、「球場で、国旗国歌に向かって」ではなく別の形を考えるべきだと選手たちに苦言を呈したことだ。オールド・リベラルの目には、昨今のリベラルはタガが外れすぎと映るのだろう。

「史上最低の大統領にして史上最低の元大統領」、すなわち在任中もひどかったが退任後のテロ国家漫遊外交もひどいと保守派が批判してきたカーターだが、民主党の極左化が進む中で、その言動にはむしろ保守派の響きが感じられる場合が多くなってきた。

「メディアは、過去のどんな大統領よりもトランプにきつく当たってきた。何を言っても構わないという感じで、精神異常だ何だと平気で口にする」と報道の行き過ぎをたしなめ、また全米各地で進む「差別的」な記念像の撤去に関して、「(南北戦争時の）南部関係者の銅像撤去が続いているが、私にとっては難しい問題だ。私の曾祖父は、ゲティスバーグの戦いを南部側で戦った。私は、ストーン・マウンテン（カーターの地元ジョージア州にあり、山腹に南軍のリー将軍ら三人の像が彫られている）に人種差別的意図を感じたことは一度もない。黒人たちの嫌悪感は分かる。しかししかるべき説明文が付されていれば問題ないと思う」とも語っている（ニューヨーク・タイムズ二〇一七年一〇月二一日）。

「黒人対警察」「トランプは精神異常」「アメリカの歴史は差別の歴史」のような中共に乗じられるプロパガンダを自ら作り、蔓延させる自傷行為を続けてはならない。カーターの常識の声は現在の民主党に通じるのだろうか。次章で見ていこう。

第4章

米民主党政権の誕生は悪夢

――アレクサンドリア・オカシオコルテス（ＡＯＣ）の時代――

懸念される治安の悪化

アメリカで極左が煽《あお》る「反警察」暴動や略奪が続けば、事実上の内戦であり、海外に注意を向ける余力は失われる。過激な脱炭素運動がエネルギー事情を逼迫《ひっぱく》させ、経済活力を奪い、バラマキ福祉が財政を悪化させれば、軍事費や情報活動費は大幅削減とならざるをえない。いずれも中共の望むところである。

ところで議院内閣制の日本と違い、大統領制のアメリカでは、選挙を経ずに政権が与党から野党に移る可能性がある。特に新型コロナウイルス禍のもとではそうである。

現行の大統領継承法では、大統領と副大統領（上院議長を兼ねる）が共に死亡ないし職務不能に陥った場合、下院議長が大統領職を継ぐことになっている。

アメリカでは副大統領のことを、ややシニカルに「大統領職から心拍一つ分離れた」人物と呼ぶ（one heartbeat away from the presidency）。大統領の心臓が鼓動を止めた瞬間、「副」のタイトルが外れ、大統領になるという意味である。

下院議長はいわば「大統領職から心拍二つ分離れた」人物と言えよう。二〇二〇年五月上旬、トランプ大統領の執事とペンス副大統領の報道官という、最も身近な人間の武漢ウイルス感染が明らかになり、上の可能性がにわかに現実味を帯びて語られるに至った。正副大統領が並んで行事や会合に参加し、同時にテロの標的になりかねない場面も意外に多い。

アメリカでは大統領と下院議長がしばしば所属政党を異にする。二〇二〇年夏現在、下院議長を務めるのは民主党の古看板、と言って悪ければ大ベテランのナンシー・ペロシ（一九四〇年生）である。トランプは早速、「であるなら、われわれは非常に注意せねばならない。クレージー・ナンシーは完全な破滅をもたらす。アメリカは決して共産主義国にはならない！」とツイートしている。

「共産主義国」は言い過ぎとしても、定見がなく、若手を中心とした党内左派に押し込まれがちなロートル政治家ペロシの姿は、同じく指導力なき古株であるバイデン大統領のありようを暗示している。

さて二〇二〇年一一月の選挙で民主党バイデン政権が誕生した場合、まず大いに懸念されるのは治安の悪化である。「差別反対」を口実にした暴動とそれに付随した略奪放火が大規模に起きたのは、おしなべてＢＬＭに迎合する民主党市長や知事のいる地域である。それら首長は、路上極左勢力との話し合い姿勢をアピールし、警察や州兵の適宜適切な動員を忌避する傾向がある。

ジョージ・フロイド事件をきっかけとした二〇二〇年騒乱の際には、トランプ大統領が、首長たちが強権発動をためらうなら、大統領権限で動かせる連邦軍の投入に踏み切るとの強い姿勢を示した。

しかし民主党政権となれば、軍の治安出動をハナから悪として否定し、最後の抑止力も失われる可能性が高い。

暴徒鎮圧のような、畢竟《ひっきょう》、力で力を抑え込むしかない厳しい仕事は保守派に押し付け、自らは安全地帯から綺麗《きれい》ごとを言うのがリベラル派の特徴である。野党である限り、「トランプが対立を煽っている」「デモ隊、警察の双方に自制を求めたい」とうそぶいていれば済む。しかし政権を担えばそうはいかない。

内乱状態への転落を避けるため、どこかで公権力を行使せざるをえないが、リベラル派内部の責任の押し付け合いで対応が遅れ、被害を拡大させる場合が多い。その典型を二〇二〇年のニューヨークに見ることができる。

六月初旬、極左過激派と警察の衝突や便乗暴徒による略奪が続く中、リベラル中間派のアンドリュー・クオモ知事（民主党）とリベラル左派のビル・デブラシオ市長（民主党）の間で非難合戦が繰り広げられた。

「市長と市警は職責を果たさなかった。許しがたい怠慢だ」と糾弾したクオモに対し、デブラシオは、「知事の発言は現場の警察官の努力を貶《おとし》めるものだ」と言い返した。怠慢と言えば、クオモも、夜一一時以降の外出を規制せねばならないと言いながら、数日間実施命令を出さなかった。略奪は主に夜中に猖獗《しょうけつ》を極めたが、知事も市長も互いを批判するばかりで、自ら火中の栗を拾おうとはしなかった。

この状況にはさすがに左派メディアからも糾弾の声が上がった。なおトランプ大統領は、「警察に本来の仕事をさせ、州兵を、四日目ではなく初日に導入すべきだった」とデブラシオ、クオモ両者を厳しく批判している（例えば二〇二〇年六月九日付ツイート）。ニューヨーク市警には約三万六〇〇〇人の警官がおり、適宜の命令が出されていれば、略奪を大部分抑えられたはずだった。

デブラシオは左からクオモを攻撃したわけだが、デブラシオ自身、さらに左からの攻撃に晒《さら》されている。デモ隊に囲まれた警察車両が発進した行為を防御的と擁護したデブラシオに対し、「受け入れられない」と非難したアレクサンドリア・オカシオコルテス下院議員（民主党）がその代表格である。

詳しくは後述するが、オカシオコルテスはまだ若く（一九八九年生）、政治経験が浅いものの、イメージ的にも政策的にもますます民主党の顔となりつつある。

アレクサンドリア・オカシオコルテスというフルネームは長いため、彼女自ら、頭文字を並べたAOCを略称に用いる。過去に、フランクリン・デラノ・ルーズベルト大統領がFDR、ジョン・フィッツジェラルド・ケネディ大統領がJFK、リンドン・ベインズ・ジョンソン大統領がLBJを愛称的略称としたのと同様である。

支持者の間では、これも将来大統領になる徴《しるし》だと好感されているようだ。以下本書でも、スペース節約のため略称のAOCを用いたい。

さてデブラシオ市長は、六月末にニューヨーク市の警察予算一七%減を打ち出したが、AOCはこれも、学校配置警官の人件費を文教予算に付け替えたり、残業費カットを予算減に含めたりの「予算上のトリックと数字いじりに過ぎない」と批判し、「警察の資金を断つとは警察の資金を断つことだ」と強調している。

「警察のない社会とは」と問われたAOCは、平和な「郊外」(suburb)のようになると答えている。「子供に食べさせないといけないのにおカネがない。だから万引きに走ることになる」、窃盗が起こるのは人々が手元不如意なせいで、そこを解決すれば警察はいらなくなり、暴力と差別のない平穏な社会が訪れる――。これに対しては、「誰も万引きの話などしていない。警察なしで殺人、強盗にどう対処するのか。彼女は何も答えていない」と批判の声が上がっている。

一方保守派は、目抜き通りの路上にBLACK LIVES MATTERと黄色のペンキで大書するようなカネがあるなら、治安維持関連の予算を充実させよと逆方向からデブラシオや市議会を叩いた。

「自分の娘も警察を怖がっている」などとＢＬＭへの迎合発言を繰り返すデブラシオが、かつて多数の警察官を前に講話に臨んだとき、全員が一斉に「回れ右」して背を向けたエピソードはいまも語り草になっている。ニューヨーク市では、市長と警察の信頼関係が壊れて久しい。

リベラル市長が生んだシアトル「自治区」の惨状

ニューヨーク以上の惨状を呈したのが、街の中心部にＢＬＭがバリケードを張り、「自治区」を設置した西海岸のワシントン州シアトルであった。

六月半ばの「自治区」宣言と同時にトランプ大統領は、中心人物らを「テロリスト」と呼び、ただちに強制排除するよう求めたが、ジェニー・ダーカン市長（民主党、白人女性）は、占拠グループを「愛国者」、占拠行為を「愛の夏」（summer of love）と呼び、話し合い解決を目指すとして警察を立ち入らせなかった。

しかし「自治区」で消防隊が活動を妨害されたり、商店が営業に支障をきたしたり、ゴミが散乱したりするのみならず、家屋の破壊や強盗、殺人など凶悪犯罪も多発するに至った。それでも逡巡《しゅんじゅん》した市長がついに強制排除を決めたのは、自身の身に危険が迫ったためである。

「自治区」設置から約三週間後、ＢＬＭのメンバーたちが市長の自宅に押しかけ、警察解体など要求の即時受け入れを迫った。検事時代に殺害予告を受けたことのある市長は、公人ながら自宅住所を非公開とする特別許可を得ていた。

ところが社会主義者を自認するある女性市会議員が、市長の住所をＢＬＭに教えたのである。この事件の数日後に市長は、一転、「自治区」を「不法な集まり」と呼び、解体撤去して武器を携行する者を逮捕するよう警察に命じた。

被害が一般庶民の世界に留まる限り、話し合いを標榜《ひょうぼう》するが、いったん自身の身に危険が及ぶと、すかさず警察力に頼る。いかにもリベラル派らしい立ち居振る舞いであった。ダーカンがこのとき民間の立場にいたなら、強制排除を権力乱用と強く批判したことだろう。実際、途中まで市長の同志だった極左の議員は、警察導入を「恥ずべき攻撃」と非難している。

強制排除の現場指揮を執ったカーメン・ベスト警察署長（黒人女性）は、「この地区で起こったことは無法かつ野蛮で全く容認できない。平和的なデモは支持する。黒人の命は大事だ。しかしもうたくさんだ。われわれには地域社会を守る責務がある」と述べている。

白人といってもトランプとダーカンでは立場が一八〇度異なるのと同様、黒人といっても、この警察署長とＢＬＭの幹部では正義の捉え方が全く違う。ＢＬＭに迎合することイコール「黒人に寄り添う」ことという左翼的発想は黒人を不当に画一視し、貶めるものだろう。黒人対警察という図式は、昔はいざ知らず、今や煽動者のプロパガンダに過ぎない。

かつて一九七〇年前後、日米欧で大学紛争が続いた時期、しばしば極左集団が構内を占拠し、内ゲバ殺人などシアトル「自治区」と同様の事態が起こった。学生の思いを共有すると迎合した「心情左翼」の学長も多かった。そう振り返れば、愚劣なシアトル「自治区」も大して目新しい現象ではない。

「黒人差別への抗議」とさえ叫べば、破壊行為に及んでも、左傾首長が警察や州兵に実力行使を控えるよう命じる。その限り、極左や犯罪分子による「黒人利用」は続くだろう。結果として最も被害を受けるのは、第３章でも見たとおり、黒人の商店主や従業員を含む善良な市民である。

バイデンは本当に外交安保通か

ジョー・バイデン（一九四二年生）は「外交通」を以て任じてきた。彼の回顧録『守るべき約束──人生と政治で』（Joe Biden, *Promises to Keep: On Life and Politics*, 2007）は、家族に関するとりとめない記述が多く散漫な本だが、国際政治の知識と経験では誰にも負けないと盛んに強調している。だが、はたして実際そうか。

バイデンは、米政界エスタブリッシュメント（既存エリート層）の最高級会員制クラブというべき連邦議会上院で、四四歳で司法委員長になり、その後数次にわたって外交委員長を務めた。いずれも注目度の高い重要ポジションである。これには、彼が異例の若さで初当選したことが大きく寄与している。

経済界では若手の大抜擢《ばってき》が当たり前のアメリカ社会だが、上院は古来、年功序列を基調とする世界である。各州平等という憲法の建前上、人事に当たって当選回数以外の基準を採用しにくいためである。

上院議員は憲法上、就任時三〇歳以上でなければならないが、バイデンは初当選時点で二九歳、数週間後に誕生日を迎えて年齢要件を満たした。もちろん最年少上院議員だった。

立候補時点では、バイデンは市会議員を一期務めただけの無名の弁護士だった。ところがベトナム戦争が泥沼化し、旧来の政治への不信が高まる中、共和党のベテラン現職を僅《きん》差《さ》で破る大番狂わせを演じたのである。

バイデンの地元デラウェア州は人口が少ない（現在でも約九七万人）。連邦議会の定数は下院が四三五議席、上院が一〇〇議席（各州二人×五〇州）で、ほとんどの州は下院議員の数が上院議員より多いが、デラウェアは上院議員二人に対して下院議員一人の「逆転州」である。そのため、よりステータスの高い上院議員の座に挑戦する下からの圧力が弱い。バイデンは以後、順調に再選を重ねた。

なお初当選直後に、夫人と長女を交通事故で失う不幸に見舞われている。そのため党執行部はバイデンにいろいろ気を使った。通常一回生は入れない外交委員会にも席を与えられた。

当時、民主党重鎮のほとんどは南部諸州選出の「人種分離主義者」だった。何かと面倒を見てくれる彼らとバイデンは良好な関係を築く。これが後年、「人種差別主義者に甘い」という攻撃を招く元になる。

二〇一九年六月、ある集会でバイデンが南部の大物議員（いずれも故人）二人の名を挙げ、「一緒に仕事をした。彼らは決して私をボーイと呼ばず、常にサン（息子）と呼んだ」と懐かし気に語ったのに対し、他の民主党大統領候補たちから次々批判の声が上がった。

特に黒人のコーリー・ブッカー上院議員は、「尊大な人種分離主義者たちと組んだ過去」を楽しげに語るような人物は国を一つにまとめられない、「黒人をボーイと呼ぶ悪弊を冗談の種にすべきではない」と論難し、バイデンに発言の撤回と謝罪を求めた。

バイデンは、「何に謝れというのか。コーリーこそ謝罪すべきだ。私の体内に人種差別のかけらもないことを彼はよく知っているはずだ」と反発したものの、結局「配慮を欠いた」と謝罪に追い込まれた。集中力を欠くこの手の失言がバイデンには多い。

「それほどタフじゃない」カマラ・ハリス

もっとも、人種問題はしばしば諸刃の剣である。バイデンを攻撃したつもりが、逆に自滅を招いたケースもある。典型例は、ジャマイカ人（黒人）の父とインド人の母を持つカマラ・ハリス上院議員（一九六四年一〇月二〇日生）である。「動じない雰囲気の彼女ならトランプと堂々とやり合えるのでは」と一時期待を集めたが、第一回民主党大統領候補討論会（二〇一九年六月二六日）のパフォーマンスが命取りとなった。

ハリスが取り上げたのは、一九七〇～八〇年代に、人種差別をなくす試みとしてリベラル・エリートが推進した「強制バス通学」である。白人学生の一部を黒人地区の公立学校へ、黒人学生の一部を白人地区の公立学校へ通わせるもので、ハリス自身、少女時代に経験した。

ハリスは、バイデンがこの政策に消極的で、差別される者の痛みに鈍感だったと批判し、虚を突かれたバイデンは「連邦による強制に反対しただけで、地方レベルの実施には賛成だった」と防戦に追われた。

しかしこの政策は、当時黒人の間でも評判が悪かった。朝の道路は混む。通学に一時間前後かかる場合も珍しくなく、選別された生徒は親も含めてその分早く起きねばならない。早朝の一時間の差は大きい。近所の幼馴染《なじ》みらと離れた学校生活を送ることにもなる。校内少数派として疎外感を覚える場面も多い。この政策を考えたエリートたち自身は、子弟を、措置の対象外である私立学校に通わせる例も多く、一層庶民の憤懣《ふんまん》を買った。結局、大きな混乱を招いた挙句、廃止に近い修正措置を取る地域が続出する。

討論会後、ハリスはメディアから逆追及を受けた。「あなたが大統領になったら強制バス通学を復活させるのか」と問われ、「それは手段の一つで大事なのは目的」などと誤魔化したものの、結局「連邦レベルでやることには反対」と答えざるをえなくなった。何のことはない。バイデンの意見と同じである。ハリスが以後の討論会でこの話題に触れることはなかった。

トランプがハリスについて、「彼女はそれほどタフじゃない。簡単につぶせる」と豪語していたが、それを実証する形になった。ハリスはほどなく大統領レースから脱落する。

レーガンの対ソ政策を理解できなかったバイデン

さて自らを中道左派と位置づけるバイデンだが、外交安保政策では安定と多国間協調を重視する現状維持派である。

例えば一九八〇年代にレーガン大統領が打ち出したミサイル防衛構想（ＳＤＩ）にバイデンは強く異を唱えた。軍拡競争を招き米ソ関係が不安定になるとの理由である。レーガンの対ソ政策はまさにソ連崩壊、すなわち積極的な不安定化を目指すものだったが、バイデンにはそうした発想は理解できない。

米ソ関係は半永久的な平和共存以外ありえず、ソ連崩壊など非現実的な夢想に過ぎないのである。実際の歴史は、バイデンの固定観念はおろかレーガンの「夢想」さえはるかに超える展開を見せたわけだが……。

バイデンは、自分は次のような批判を受けてきたと率直に振り返る。①しゃべり過ぎる、②論理でなく感情に動かされる、③汗をかいて結果を出す姿勢に乏しい。

バイデン自身が引用する、あるベテラン記者の総括によれば、「ジュージューと焼き音はするがステーキが出てこない。鑑賞馬であって労働馬ではない」ということになる。

要するに、熱のこもった立派な演説はするが、結果につなげる政治力、突破力がないというわけである。こうした自身に不都合な論評も回顧録に記すあたり、バイデンが馬鹿にはされても嫌われないゆえんだが、大統領にふさわしい資質とは言えないだろう。

二〇二〇年一月三日、トランプ政権は、イランの対外破壊活動部門を担ったソレイマニ司令官の殺害作戦を実行し、成功させた。

これを民主党側は総じて、外国の「政府高官」を狙《ねら》った違法な「政治的暗殺」である上、本格戦争を招きかねない無謀な作戦だったと批判した。

バイデンもその一人で、「ソレイマニによる差し迫った攻撃の危険があったという証拠はなく、自分なら（殺害命令を）出さなかった」と語っている。

もっともバイデンが副大統領として仕えたオバマ大統領は、地上軍の海外派兵は嫌ったものの、特殊部隊やドローンを使ったテロリスト除去作戦には積極的だった。

アルカイダの首魁《しゅかい》オサマ・ビンラディン殺害が典型例である。その際、政権内で、「失敗した場合の政治的打撃が大きい」と最後まで反対したのがバイデンだった。失敗とは、特殊部隊に死者を出しながら標的を取り逃がす場合などを指す。表では、テロリストに正義の鉄槌《てっつい》を下すと力強く繰り返しながら、ありうる政治的マイナスを理由に実行を渋るあたりがバイデンらしい。「焼き音はするがステーキが出てこない」と評されるゆえんである。テロ勢力にとっては非常に安心できる米大統領だろう。

オバマ政権で同僚だったロバート・ゲイツ元国防長官が、バイデンについて、回顧録にこう記している（Robert Gates, *Duty*, 2014）。

ジョーは誠実な男だ。心の底の思いを隠すことができない。そして個人的な危機の際には助けてくれると確信できる人間だ。しかし、彼は過去四〇年間、ほとんどあらゆる主要な外交安保政策について判断を誤ってきた。ホワイトハウスでのある会合の後、ペンタゴンに帰る車中で、マイク・マレン（統合参謀本部議長）が『今日は副大統領と意見が合いましたね』と言った。私も気づいていて、だから私の立場を考え直しているところだと答えた。

バイデンとゲイツの意見が合った例の一つが、ビンラディン除去作戦への異議だった。対中国政策においてもバイデンは、懲罰関税を連鎖的に発動したトランプと異なり、できるだけオバマ時代の平和共存、微調整路線に戻ろうとするだろう。

対北朝鮮政策は、上院議員時代に補佐官として重用した名うての宥和《ゆうわ》派フランク・ジャヌージ（現マンスフィールド財団会長）に委ねる可能性が高い。北の見せかけの核「凍結」措置に、援助や制裁緩和で応じてしまうのではないか危惧《きぐ》される。

また民主党外交に一定の役割を果たすと見られるスーザン・ライス元大統領安保補佐官は、北による核ミサイル保有を容認した上で平和共存の道を探るべきと主張したことで知られる。

ライスは対北宥和派のマデリーン・オルブライト元国務長官の弟子で、考え方が近い。なおオバマ大統領は、外交、内政とも側近のデニス・マクドノー（安保副補佐官、続いて首席補佐官）とすり合わせることが多く、ライス安保補佐官の影は薄かった。ライスは、習近平から「新型の大国関係」を囁《ささや》かれ、その勢力分割論的意図に気づかず、安易に同意して国際的に批判を浴びたこともある。

彼女の場合、母とオルブライトが旧友であることから、三〇代の若さで国務次官補（アフリカ地域担当）に大抜擢されて以来、黒人女性ということもあって、人種の多様性を確保したい政権やシンクタンクで要職を歴任してきたが、実力が付いていかない印象が強い。

バイデン政権の対イラン政策も、トランプの圧力強化路線からオバマ時代末期の制裁解除、経済交流拡大路線へ回帰するだろう。イラン神権政権の金庫に巨額の核ミサイル開発資金、テロ支援資金が流れ込みかねない。

バイデンについては、外交通を任じながら、半世紀近い政治家生活を通じて特筆すべき実績がなく、ポーズだけの男というのが大方の評価である。加齢とともに、思考力、集中力の一段の低下も隠せない。過去に頭部動脈瘤《どうみゃくりゅう》切除の大手術を二度受けていて、体に無理が効かない上、認知症の兆候も見せている。

大統領になった場合、日々の儀式や行事をこなすのみで、あとは隠居に近い生活を送るのではないかと言われる。政策決定、実行においては、勢いを増す党内左翼勢力に押し込まれ、流される可能性が強い。実質的に大統領不在の、ホワイトハウスならぬホワイトアウト・ハウス、すなわち豪風雪の中で方向感覚を失うに似た状態に陥るという危惧の声もある。

世界を混乱させるサンダースの「平和憲法」的非介入主義

日本の安全保障にとってとりわけ憂慮すべきは、バイデンを含む民主党主流派が「民主社会主義者」を自称する左派のサンダース・グループに擦り寄る姿勢を強めていることである。

バーニー・サンダース上院議員（一九四一年生）は二〇一六年、二〇二〇年と続いて民主党の大統領予備選で健闘し地歩を固めた。相手の揚げ足を取るのではなくひたすら自分の主張を展開するタイプで、性格にも言動にもけれん味がなく、嫌われない。民主党は右過ぎるとして党籍は取っていない。あくまで民主党と統一会派を組む無所属議員である。にもかかわらず、二〇一七年以降、上院民主党の執行部に迎えられている。

二〇〇六年の上院議員初当選以来、議会最左派に位置するサンダースだが、民主党全体が左傾化する中で、国内政策では最早さほど浮いた存在ではない。例えばサンダースが主張してきた最低保障賃金時給一五ドルは、民主党全体の公約となって久しい。

最大の懸念材料は、サンダースが外交安保政策において徹底した「非介入主義」（non-interventionism）を取る点である。サンダース派が閣僚、補佐官クラスで多数入れば、民主党政権はこの方向に傾きかねない。

サンダースは二〇〇三年のイラク戦争はもちろん、一九九一年の湾岸戦争開戦にも反対している。その論理が興味深い。次のように述べている。

イラクの独裁者サダム・フセインによるクウェート侵攻は許しがたい暴挙であり、最も強い言葉で非難する。あまりに明白な侵略であるゆえ、珍しく国際世論も一致してイラク軍に撤退を求めている。したがって、武力でなく国際世論や経済制裁を通じた撤退実現が可能であり、その道を追求しないなら人類の未来はない――。

一方、他の紛争については、サンダースは、国際世論が一致しない中で米軍の単独介入などあってはならないと主張する。

要するに、いかなる場合でも軍事介入は認められないというわけである。

もちろんサンダースも、もし自分が大統領で、米本土が攻撃を受けたとしたら、軍の最高司令官として断固排撃命令を出すと述べる。

軍事力行使は自国防衛の場合に限り、海外派兵は一切しない。アメリカの政界では少数派に属するが、要するに日本の「平和憲法」の立場と同じである。平和憲法を世界に広げたいという人々がいるが、サンダースのアメリカなら実質的に採用するだろう。その途端、日本が軍事的危機に瀕《ひん》しても、米軍の来援はなくなる。トランプの比ではない無条件の同盟解消論と言える。

サンダースは手続き論においても、自己防衛以外の軍事力行使には、議会の明示的な承認が必要と主張する。

歴代米大統領は、海外の紛争に関して、議会に軍事力行使支持決議を求めることはあっても、最高司令官たる大統領には軍を動かす広範な裁量権があるとの憲法解釈を取ってきた。サンダースは、その解釈を認めないというのである。

例えば中国軍が尖閣諸島に上陸した場合、サンダース派は、米軍の直接介入に反対するだろう。少なくとも議会の事前承認が必要と主張するだろう。内外政策でサンダース派の支持を要する案件を抱えていた場合、バイデン大統領がその方向に引きずられない保証はない。当然それは、中国側のリスク計算に影響を与えるだろう。

日本の自民党内からは、中国を牽制《けんせい》するため、米軍が尖閣に設けていた射爆場で「米軍と自衛隊の共同訓練を行う」といった案が出されている。共和党政権なら実現の可能性があっても、サンダース派が影響力を持つ民主党政権なら応じるとは思えない。

非現実的な脱炭素イデオロギー

サンダースや愛弟子のAOCは徹底した反炭素主義者でもある。石油・石炭・天然ガスから速やかに脱却し、太陽光、風力を中心とする再生可能エネルギーに完全転換すべきことを説く。

また高福祉や脱炭素インフラ整備の費用を確保するため、軍事費を徹底的に整理削減すべきことも説く。

その二つの要請が相まみえる点として、サンダースは、中東を起点とする石油輸送ルートの米軍による防護を速やかに打ち切るよう求めている。アメリカ自身が石油から脱却する以上、シーレーン防衛に国益はない。他国に石油依存からの脱却を促すためにも、米軍が輸送ルートを保護してはならないのである。

バイデン大統領は身内からこうした圧力を受け続けることになる。仮にある程度でも実行され、米軍がペルシャ湾周辺への関与を減らせば、石油の九割近くを中東に頼る日本にとって由々しき事態となろう。

サンダースらは、発電状況にムラのある太陽光や風力がベース電源たりうるのかという疑問に対し、大型・高効率・低コストの蓄電池を開発して大量に設置すれば問題ないと答える。その実現はまだ視野に入っていないが、とにかく国費を集中投資するというのである。

原子力発電についてサンダースは、「原発の新増設は一切認めてはならない。既存原発も運転免許の更新を停止すべき」と主張する。

バイデンは、「原発建設のコスト低下に向けた新テクノロジーの研究および既存原発の安全性、放射性廃棄物処理に関する研究が必要だ」と原発廃止論とは一線を画すが、原発の維持や新増設を明確に語ったことはない。

米保守派の多くは、人間活動による地球温暖化という説にそもそも懐疑的である。市場メカニズムによるエネルギーの効率利用を進めれば、自然に炭素の排出量も減る、化石燃料を無理に排除して経済活力を損なうのは愚かだとの立場を取る。しかしリベラル派においては、人間活動による温暖化は疑問の余地なき科学的真理であり、速やかな脱炭素が共通目標となっている。日本と違い、この問題での保守、リベラルの開きはきわめて大きい。

特にAOCは、遠からず電源を一〇〇%再生可能エネルギーでまかない、原発のみならず火力発電所も廃止するという相当ラディカルな立場を打ち出してきた。民主党は、少なくともポーズの次元においては、全体としてこれを受け入れる方向に動いている。

二〇一九年にAOCとエド・マーキー上院議員（民主党）が中心にまとめた「グリーン・ニューディール」決議案に、当時大統領選に名乗りを上げていた議員のほとんどを含め、民主党の多くが賛同した。

一〇年以内の火力発電所廃止、飛行機から鉄道への転換、国庫補助による全家庭の「脱化石燃料化改築」（灯油やガスを追放し、完全電化）などが骨子の決議案である。実施されれば、電力事情逼迫《ひっぱく》、交通混乱、大増税は免れない。有権者が具体像を知るほどに、反発も広がるだろう。

そのため、議会は倒錯した展開を見せた。決議案に反対する共和党が、速やかな採決で個々の議員の賛否を記録に残すよう求め、一方民主党は、自ら出した決議案でありながら「審議不十分」を理由に採決に反対した。結局、多数派の共和党が採決に持ち込み、共和党は全員が反対、民主党は大挙棄権という結果になった（民主党上院議員四七人中四三人が棄権）。

要するに民主党議員の大半は、「グリーン・ニューディール」という美しい響きを持つ案に賛意を表したというイメージが欲しかっただけで、中身に責任を持たされたくはなかったのである。

しかし同決議案には、行政命令で実行可能な部分もある。バイデンが大統領になれば、なし崩し的に実現を図ろうと左派はホワイトハウスに圧力をかけるだろう。AOCらは、バイデンが左派の主張を取り入れる度合いに応じて支持の量を決めると公言している。

二〇二〇年七月八日、バイデン選挙対策本部の「気候結束」（climate unity）作業部会が公約案を発表した。共同委員長は、ジョン・ケリー元国務長官と他ならぬAOCである。

その骨子は、二〇三五年までに発電所からの炭素排出をゼロにする、二〇三〇年までにすべての新築ビルからの炭素排出をネットでゼロにする（例えば屋上に緑を植えればその緑が吸収する分の炭素排出は認める、が「ネット」の意味）、太陽光および風力エネルギー利用の飛躍的拡大（五億枚の太陽光パネルと六万本の地上、海上風力タービンを設置）、五年以内に二〇〇〇万世帯および四〇〇〇万棟のビル（学校、病院、市庁舎を優先）を省エネタイプに改造するなどである。

これでもAOCは、「やむなく（中間派に）妥協した案」と呼んでいる。例えばフラッキング（水圧破砕法）の禁止は入らなかった。フラッキングとは、地下の岩石層に高圧で流体を注入して亀裂を生じさせ、石油やガスを採掘する手法を指す。AOCら左派は、化石燃料の利用自体に反対である上、地下水汚染など環境破壊が進むとして禁止を求めてきた。もし禁止となれば、アメリカのエネルギー自給力がその分落ちることに加え、関連業界の多数の職が消滅する。中間派が抵抗したゆえんである。

アメリカの保守派は、過激環境主義者をウォーターメロン・マン（スイカ人間）と呼ぶ。外見は緑だが中身は赤という意味である。民主党政権はウォーターメロン政権となりかねない。

「火付け役」AOCの台頭

米主流メディアは、AOCを民主党の「火付け役」（firebrand）と呼び、その一挙手一投足に注目する。ニュースに出ない日はないと言ってよい。

プエルトリコ出身の両親を持つAOCは、大学卒業後、ウエイトレスやバーテンダーで生計を立てていたが、二〇一六年の大統領選予備選で、サンダース陣営のニューヨーク支部の一つを託され、本格的に政治の世界に入った。

サンダースは自らの選挙戦を「運動」（movement）と規定してきた。まさにAOCのような若手を戦いの過程で発掘し、育て、政界に送り込む「旋風の巻き起こし」という意味である。

その後二〇一八年の中間選挙に自ら名乗りを上げ、議席を得た彼女の登場で最も衝撃を受けたのは、共和党ではなく民主党の指導部だった。

ＡＯＣの選挙区ブロンクス（ニューヨーク州第一四選挙区）は、登録有権者の比率が民主党六対共和党一で、共和党は誰を立てても基本的に勝てない。

民主党の予備選が実質的な本選挙と言える。その予備選で彼女は、現職で当時下院民主党最高幹部の一人だったジョー・クラウリーを破った。ニューヨーク州選出の上院議員二人、知事、多くの有力労組がクラウリーを支持する中、圧倒的な資金力の差を跳ね返しての勝利であった。ＡＯＣは一躍注目の的となる。

彼女の主張はおしなべて最左派に属するが、性格は明るく開放的である。日本でいえば辻元清美、蓮舫両議員のようなあくどさや刺々しさがない。また本来どうでもよい話だが、細身ながらいわゆる巨乳で、男性ファンを惹《ひ》き寄せる一要因となっている。

また共和党最右派のクルーズ上院議員と連名で中国の人権抑圧を非難する声明を出すなど、日本の左翼議員ではありえない動きも見せる。そのあたりの政治的柔軟性は侮れない。

民主党内に「スクワッド」（分隊）と呼ばれる二〇一八年初当選組の左翼女性四人がいる。イスラム教徒のラシーダ・トレイブとイルハン・オマール、黒人のアヤンナ・プレスリー、ＡＯＣから成る。しかし前二者は性格が陰性な上、反米的と聞こえる言動が多く、民主党内でも問題児扱いされている。プレスリーは影が薄い。発信力ではＡＯＣが群を抜くだろう。

二〇二四年の大統領選に出馬すれば間違いなく台風の目になるはずである。

憲法上、大統領は三五歳以上でなければならない。ＡＯＣは、二〇二四年にぎりぎりながら条件をクリアする。

メディアとＡＯＣの関係で注意したいのは、有力紙ワシントン・ポストの立ち位置である。同紙のオーナーはアマゾンの社主でもある世界一の富豪ジェフ・ベゾス。私は数年前、ある記者の案内でポスト紙本社内を見学したが、ベゾスの言葉を刻んだパネルが何枚も目に入ってきた。社主の存在を誇示する如くであった。

そのベゾスをＡＯＣは厳しく非難してきた。自分一人飽くことなく富を貯め込み従業員には「飢餓レベルの賃金」しか払わない、悪徳資本家の権化だというのである（アマゾン側は平均以上に払っていると反論）。

二〇二〇年四月三日には、コロナ肺炎をめぐる就業トラブルで解雇された黒人従業員に関し、アマゾンの顧問が「彼は頭が悪く話も下手。メディアがわれわれ対彼という構図を作りたがるならＰＲ上好都合」とした社内メモを回したことをＡＯＣが「人種差別的かつ階級差別的なＰＲ作戦」と激しく叩いて話題となった。

ＡＯＣの師に当たるサンダースも、ベゾスとアマゾン従業員の「常軌を逸した格差」をアメリカの病の象徴としばしば糾弾、同時にワシントン・ポストの報道を自身に対してアンフェアだと批判してきた。ポスト紙のサンダース、ＡＯＣに関する記事を読む際、頭に入れておくべきポイントである。

「ロシアゲート」で失われた二年

「トランプがアメリカの分断を加速させた」がリベラル・メディア定番の議論だが、実際に分断を加速させた最大の要因は、リベラル派が掲げるアイデンティティ・ポリティクス（差別強調政治）である。

すなわち人種、民族、宗教、性別、性的指向などの違いをことさら強調し、被差別弱者の側に立つと主張する政治手法を指す。その戦術の、言葉狩り的側面がポリティカル・コレクトネス（政治的正しさ）である。この言葉はいまや日本でも市民権を得、批判的に「ポリコレ」と略称される。アイデンティティ・ポリティクスも短く「アイポリ」でよいかもしれない。

政権発足以来、トランプ攻撃の材料に使われた「ロシアゲート」は、この「アイポリ」

の偽善性が露呈して窮地に陥ったリベラル・エリートが、論点のすり替えによって保身を図ったものと言える。

ロシアゲートとは、「二〇一六年米大統領選中に、民主党陣営のメールがハッキングされ、公開されたが、この事件の裏にロシア情報機関とトランプ陣営の共謀があったのではないか」というものである。しかし、ロバート・マラー元FBI長官が特別検察官に任命され、約二年にわたる捜査の結果、最終的に「嫌疑不十分」という報告が出された（二〇一九年三月）。

ところで、なぜメールの流出がヒラリー陣営に打撃となったのか。ここにリベラル派が目を背ける「不都合な真実」があり、真の争点がある。最も問題となった二つのメールを見てみよう。

一つは、民主党エリートを代表するジョン・ポデスタ選対本部長（クリントン政権で大統領首席補佐官）がヒラリーに宛てた、副大統領候補選定に関するメールである。

ポデスタはまず、候補者を「食品群」（food groups）に分けたと軽口を叩き、女性、黒人、白人、ヒスパニック、巨額献金者などに分類、最後に「特殊食品」として予備選のライバルだったサンダースを挙げた。

ここに見られるのは、差別強調政治を推進してきた中心人物における、冷笑的で功利主義的な態度である。素朴な有権者の間に嫌悪感が広まったのも無理はない。

もう一つは、予備選の公正な実施を職務とする民主党全国委員会の幹部間で交わされた、「サンダースは無神論者との噂《うわさ》を広めて宗教色の強い南部での支持を落とすべきだ」などとした謀議メールである。ちなみにサンダースはユダヤ教徒である。

政治と宗教の峻別《しゅんべつ》、無神論者への配慮（公立学校で「神」に言及しないなど）を高らかに掲げてきたリベラル・エリートにおける、これまた冷笑的かつ露骨な背信行為であった。サンダース支持者は当然激怒し、ヒラリーに近い全国委員長は辞任に追い込まれた。

要するに、ロシアの干渉と言っても、買収工作や怪文書拡散があったわけではなく、民主党幹部の〝素の姿〟を明らかにしたに過ぎない。

メールが流出しても中身が猥談《わいだん》レベルのものなら一時のゴシップで終わる。ヒラリー陣営の真の敗因は、差別強調政治の裏にある偽善性と陰謀体質が白日の下に晒《さら》されたことにあった。そして、そこを誰よりも峻烈に突いたのがトランプだった。

反トランプ・メディアのロシアゲート報道は、この民主党エリートにとっての不都合な真実から一貫して目をそらし、トランプ陣営の派生的なスキャンダルや失言のみを追う形で進められた。本質的に党派的かつフェイクであり、無為に費やされた政治エネルギーは膨大な量に上る。自由主義陣営のリーダー国におよそふさわしからぬメディアおよび民主党の対応であった。

「白人インディアン」エリザベス・ウォレン

米議会の最左派で、サンダースやAOCと政策的に近いエリザベス・ウォレン上院議員（一九四九年六月二二日生）は、差別強調政治の偽善性を戯画的なまでに体現する存在である。

ウォレンは弁護士からハーバード大学教授を経て上院議員となり、二〇二〇年、満を持して民主党の大統領予備選に出馬した。超エリートであるが、その立身出世の裏に「出自の擬装」があった。

すなわち白人でありながらアメリカン・インディアンと偽り、マイノリティ（少数派）優遇措置を不正利用した疑いが濃いのである。

トランプはウォレンを侮蔑《ぶべつ》的にポカホンタス（開拓初期に殺害されかけた白人を救い、のちにキリスト教に改宗したとされるインディアンの娘）と呼ぶ。しかし、それではポカホンタスに失礼だとして、「フォ」（faux：偽造の意）という単語とかけて「フォカホンタス」と呼ぶ向きが保守派には多い。

「もしウォレンが『トランプは嘘つきだ』と言えば、あなたこそ最も根源的な部分で嘘つきだ、一体あなたは誰なのか、いかにしていまの地位を得たのか、と反撃すればよい」と共和党のある選挙参謀は語る。

ウォレンの問題は、元々の出自擬装に加え、不可解な弁明、矛盾した対応と幾層にもわたる。具体的に見ていこう。

ウォレンの選挙区は、ケネディ大統領兄弟などを輩出し、ハーバード大学を抱えるリベラル・インテリの牙城《がじょう》マサチューセッツ州である。ハーバード大教授の肩書は、もちろん選挙において大きなセールスポイントだった。

ウォレンはかねて「積極的差別修正措置」（affirmative action）を声高に支持してきた。歴史的に不利な立場に置かれてきた黒人奴隷やインディアンの子孫を、入試、雇用、公共事業配分などで優遇する政策である。

白人への逆差別になる、出自を偽る不正利用が生じるなどの批判に対しては、ウォレンは、「あなたは白人至上主義者なのか」と居丈高なレッテル貼りで反撃してきた。ところがその本人が不正利用を問われたわけである。

ウォレンは、「子供の頃、叔母が、あなたにはインディアンの血が入っていると言ったのを素直に信じた」、マイノリティであることを就職活動に利用したことはないと強調する。

しかしワシントン・ポストの調査で、弁護士時代の登録簿に「アメリカン・インディアン」と手書きで記していた事実が明らかになった。その一年後にペンシルベニア大学に教員採用され、さらに数年後に、ハーバード大学教授に転じている。両大学への就職に当たって、出自に言及しなかったとは思えない。

米国では、エリート校であればあるほど、教員の「多様性」確保に気を使う。特にハーバードの場合、ウォレンを教員採用した当時、先住民（インディアン）の教員がいないのに「多様性に満ちたキャンパス」を謳《うた》うのは虚偽広告だとする訴訟に晒されており、人事に当たって先住民という要素が考慮されなかったとは考えにくい。現にペンシルベニア大、ハーバード大ともに、マイノリティ教員の公開リストにウォレンの名を含めている。

二〇一八年秋、ウォレンは疑惑を払拭《ふっしょく》したいとしてＤＮＡ検査を受けた。まずこの行為自体が先住民団体から強い批判を受けた。アメリカ先住民であるか否かは、その「苦難の歴史」と伝統文化を受け継ごうとする意志に存するのであり、血の濃淡は関係ないのである。

白人であっても、婚姻、養子縁組などでインディアンの家庭に入り、伝統継承活動に熱心であればインディアンと見なされる。インディアンの家系であっても、固有の文化に背を向けるならば仲間とは見なされない。そしてウォレンは、先住民団体の活動にほぼ無関心だった。

しかもＤＮＡ検査の結果は、六世代から一〇世代前に先住民の祖先がいた可能性があるが、ない可能性もある、すなわち「インディアンの血」の濃さは平均的な白人以下というう、ウォレンにとって破滅的（devastating）なものだった。この「破滅的」という言葉は当時多くのメディアが用いたものである。

その後、インディアンのある女性研究者が、ウォレンの先祖は、本人が主張するようなチェロキー族どころか、逆にチェロキー族の土地を奪った白人だったとする調査結果を発表し、ここにウォレンの「破滅」は完成した。

地元の有力紙ボストン・グローブも、「ウォレンはいかなる部族の一員であったこともない。彼女は白人だ」と突き放し、真摯《しんし》な謝罪と教員採用関連文書の情報公開を求めた。ウォレンがもし共和党員なら、メディアは大スキャンダルとして追及しただろう。

しかし左の不正には甘い主流メディアの寛容に助けられ、政治的には破滅どころか、その後も左派の有力者の地位を保っている。

ウォレンは、不法移民を寛大に扱い、米国民同様の福祉を保証すべきとも主張する。民主党政権がこれを政策とするなら、中南米のみならず世界中から不法移民が押し寄せるだろう。財政破綻《はたん》は必至であり、破綻を少しでも遅らせようとするならば、軍事費や情報活動費を大幅にカットする以外ない。これまた中共が望むところであろう。

極左勢力によるアメリカ版文化大革命

極左主導の反体制運動は、ジョージ・ワシントンら建国者（Founders）の銅像破壊にまで発展した。ワシントンが奴隷所有者であり、インディアンにも攻撃的だったというのが理由である。

アメリカの保守派は、「何を保守するのか」と問われたとき、建国者の精神を守り、受け継ぐと答えるのが一般的である。独立戦争を最高司令官として戦い、憲法制定会議の議長、次いで初代大統領を務めたワシントンはまさに建国者の象徴である。

であるがゆえに、逆に極左にとっては、ワシントンを貶《おとし》めることが重要になる。銅像問題の背後には、アメリカという国の正統性をめぐる熾烈《しれつ》な政治闘争がある。アメリカ合衆国は差別がビルトインされた偽善国家だとなれば、解体的出直し以外の道はない。もちろん建国理念が偽物である以上、理念を同じくする同盟国を守るといった発想も成り立たない。その意味で、米国内で先鋭化する歴史戦は日本にとっても他人事ではない。

保守派は極左の銅像破壊運動を「キャンセル文化」と呼ぶが、極左が歴史からキャンセルしようとする対象は留まるところを知らない。奴隷解放と統一国家維持を象徴するリンカーンについても、解放後の黒人たちをアフリカに戻す案に賛成していたとして、銅像撤去を求める声がある。

ニューヨーク・タイムズが二〇一九年から始めた「一六一九プロジェクト」は、アフリカから第一陣の黒人奴隷がバージニア植民地に着いた一六一九年こそがアメリカの原点であり、「反黒人的人種差別がこの国のＤＮＡ」という視点から歴史を見直そうという試みである。二〇一九年はアメリカが原罪を負った年からちょうど四〇〇周年に当たるわけである。

独立宣言も憲法も、穢《けが》れた体を覆い隠す衣装に過ぎない。ヨーロッパから白人が侵入し、特に奴隷をアフリカから連行し始めて以来、アメリカは収奪と抑圧と差別にまみれた国だった。

こうした極左による歴史戦は、トランプ打倒の政治運動と絡み合っており、毛沢東が中国社会を暴力と混乱の極に陥れた文化大革命のアメリカ版とすら言える。

ラッシュ・リンボーは、現在の米国の政治状況を「冷内戦」（Cold Civil War）と表現している。保守とリベラルがゼロサムゲーム的な闘争を繰り広げ、建設的な議論が成り立たない状況を指す。

街路では極左と警察の衝突が続くが、周縁部で代理戦争的な「熱戦」が起こるのも冷戦の一特徴である。

日本でも、安倍政権の誕生以降、国内政治は冷内戦の様相を強めている。自由主義国の保守派は、国内で冷内戦を戦いつつ、中共ファシズムとの新冷戦に有効に対処していかねばならない。この冷内戦と新冷戦の絡み合いが最も鮮明に見られるのが現代アメリカと言えよう。

第5章

ボルトン回顧録をどう読むか

私の見たボルトン

ここで国際的に大いに話題を呼んだボルトン回顧録を分析しておこう（John Bolton, *The Room Where It Happened: A White House Memoir*, 2020）。

ジョン・ボルトンは一九四八年、メリーランド州ボルティモアの下町に、高卒の両親の下に生まれた。父は消防士で、夜勤時には、昼間、別の仕事にも就き、一家を支えたという。決して裕福なエリート家庭の出ではない。奨学金を得て名門イェール大学の法科大学院を卒業、弁護士資格を得た後、レーガン、ブッシュ（子）など共和党政権下の米国国際開発庁、司法省、国務省などで行政経験を積んだ。

司法省時代には、連邦裁判官候補に上院の承認を得るための、議会との調整作業を担当した。特にレーガン大統領が指名した保守派のロバート・ボーク最高裁判事候補（元イェール大学教授で、ボルトンの恩師）を巡ってはリベラル派が強く反発し、結局上院で不承認となった。このとき、否決を主導したのが司法委員長のバイデンで、ボルトンとは因縁の間柄と言える。

詳しくは後述するが、その後の国務次官（軍備管理・大量破壊兵器拡散防止担当）、国連大使時代には、特に北朝鮮とイランの核ミサイル問題に力を入れて取り組んでいる。

私はボルトンとは六、七回面談したことがある。いずれも、拉致《らち》被害者家族会、拉致議連のメンバーと一緒で、私は救う会副会長の立場で同行した。最初に会ったのは二〇〇三年九月。当時ボルトンは国務次官だった。

拉致問題で国務省高官と面談というと、普通、東アジア・太平洋担当の国務次官補が上限で（それでも日本の外務省でいえば局長クラスの高官）、国務次官はさらにワンランク上の、長官、副長官に次ぐ地位である。しかも人権は当時のボルトンの担当分野ではない。ただ私はかねて彼の論説文を読み、そこに「同志」を感じていたので、〝ダメもと〟で在米日本大使館を通じて面談を申し込んだ。

するとほどなくＯＫの返事があり、国務省の上階にある次官執務室で約四〇分面談した。飯塚繁雄家族会代表、横田拓也、哲也兄弟が一緒だった。

挨拶《あいさつ》が終わり、横田兄弟がめぐみさんの写真パネルを示しながら「姉は一三歳で北朝鮮に拉致された」と説明すると、ボルトンはみるみる顔が紅潮し、体を前後に大きく揺すりながら「オー！」という声を上げた。「絶対に許せない」という言葉には実がこもっていた。頭の回転が速く、ユーモアのセンスにも溢《あふ》れ、話していて愉快な人物だが、そうした熱い面も多分に持っている。

一度、「あなたのようなレーガン保守は」と言いかけたところ、ボルトンが遮り、「私は高校時代から、すなわちレーガンがまだ民主党員だった頃から、保守の運動に携わってきた。私の方がレーガンより先輩だ」と述べた。たしかに生粋の保守派であり、「金正恩と恋に落ちた」に代表されるトランプの「不純」な言動に我慢ならなかったであろうことは容易に想像がつく。

ボルトンの問題点

しかし、トランプとバイデンしか大統領の選択肢がない中で、「トランプを再選させてはならない」という結論にはやはり違和感がある（バイデンにも投票しないと言う）。もっともその結論は、この本の中で、最もどうでもよい部分である。特に日本の読者としては、米国内の政争に目を奪われず、アメリカ外交の超一級資料として活用するのが正解だろう。

トランプ陣営がボルトンを「裏切り者」と難じるのはよく分かる。誰もがトランプの「余計な言動」には頭を抱えつつも、総合的に見て民主党のバイデンよりはるかによいとの判断のもと、支持拡大に汗を流しているのである。

私の友人で、国務省、国家安全保障会議（ＮＳＣ）でボルトンの首席補佐官を務めたフレッド・フライツは「非常に重い気持ちで」批判的コメントを出している。論点は以下の四つである。

①ボルトンはせめて本の出版を選挙後まで延ばすべきだった。

②対イラン攻撃を土壇場でやめたことで決定的に幻滅した、「トランプは選挙のことしか考えていない」とボルトンは言うが、重大事態につながりかねないイラン領内爆撃を米側被害（無人偵察機の撃墜）との比較考量で中止したのはトランプなりの「原則に基づく決定」であって選挙は関係ない。

③大統領の発言を補佐官が批判的立場から公開するのは信義則違反であり、これが許されれば、大統領は周りに率直にアドバイスを求めることができなくなる。

④補佐官は大統領を支えるのが仕事で、喧嘩《けんか》をしに行くのではない。ポンペオ国務長官はその点をわきまえているが、ボルトンは残念ながら出処進退を誤った。

なお、アメリカの大統領安全保障担当補佐官（National Security Advisor）は、日本でいえば、外交安保に特化した官房長官というべき要職である。国務長官などと違い、上院の承認が必要ないため、大統領の一存で、相当な異端児でも起用できる。

民主党はもちろん共和党の一部からも「戦争屋」と危険視されるボルトンの補佐官起用は、外交エスタブリッシュメント（既存エリート層）の批判を気にしないトランプでなければできなかったろう。この人事を最も評価すべきは、他ならぬボルトン自身のはずである。

トランプの「酔拳」外交

トランプ外交をボルトンは「本能と思い付きだけ」と評する。しかし回顧録を子細に読めば、随所にトランプ流の戦略が浮かび上がってくる。

一例を挙げよう。G20ブエノスアイレス・サミットのサイドで行われた米中首脳会談（二〇一八年一二月一日）において、習近平は終始用意したメモを読み上げるふうだったが、トランプはアドリブ中心で、米側出席者の誰も、次の瞬間に大統領が何を言うか予想がつかなかった。習近平がトランプの再選を望むと述べ、トランプが「大統領は二期までという憲法上の縛りを自分に関しては外すべきだという声がある」とホラ話で応えるなど夕食会は和やかに進んだ。

本題に入って習近平が、対中懲罰関税を撤廃するよう求め、「パンダハガーのムニューシン財務長官がトランプに受け入れを説いていたところの見せかけの改善措置」をいろいろと並べた。パンダハガー（パンダ抱き締め屋）は親中派ないし媚中《びちゅう》派の意である。トランプは習近平に同意するかの如く関税引き上げは留保すると言い、米側の要求としては農産物の輸入拡大程度しか持ち出さなかった。横にいるボルトンの胸には危惧《きぐ》の念がつのる。

ところが会談の終盤に至って、トランプはおもむろに対中強硬派のライトハイザー通商代表に顔を向け、「何か言い忘れたことはないか」と発言を促した。水を向けられたライトハイザーは、「構造問題に焦点を当て、ムニューシンが心から愛した中国側提案を切り裂き、会話を現実世界に戻すべく務めた」という。

最後にトランプが、「ではアメリカ側は交渉の責任者にライトハイザーを当てる」と宣言し、首脳会談は幕を閉じた。

なおこの数時間後に、米司法省の要請を受けたカナダ当局が、ファーウェイ創業者の娘で最高財務責任者の孟晩舟を「イラン制裁法」違反容疑で逮捕している（第2章参照）。

トランプは後日側近に向かい、われわれは「中国のイバンカ・トランプを逮捕した」と的外れな比喩《ひゆ》を持ち出しつつ、孟晩舟の身柄を米中協議の取引カードに使いたい意向を示したという。しかしボルトンが、「ファーウェイは会社ではなく中共情報機関の一部門」と念を押すと、それ以上カード論に固執はしなかった。いずれにせよ、首脳会談当日のファーウェイ最高幹部逮捕にトランプが異を唱えた形跡はない。

ブエノスアイレス会談から二日後、ホワイトハウスの大統領執務室で、政権幹部の反省会が開かれた。

ムニューシンが米中協議に参加したい意向を滲《にじ》ませたが、トランプは、「(ムニューシンは中国に)別の種類のシグナルを送っている。なぜ関与したがるのか分からない。一体どうライトハイザーを支援するつもりなのか。君は為替の安定に努めよ」と撥《は》ねつけ、ライトハイザーに対し、「この問題についてはスティーブ(ムニューシン)ではなく君の姿勢が欲しい、農産品の輸入を二、三倍に増やさせろ。グレイト・ディール以外はするな」と指示した。

そして、中国側が応じなければ追加関税を課す方針を明確にしている。またこの場で、アメリカの知的財産を盗んで作られた中国製品はすべて輸入禁止にすべきというボルトン提案に改めて賛意を表した。中共が、知的財産の窃取やテクノロジーの強制移転といった構造問題で、交渉を通じて姿勢を改めることはありえず、制裁で追い詰めていくしかないというのがボルトンの見方である。そしてトランプも、多くの場合その判断に同意した。

ボルトンはこの日のトランプの態度を高く評価している。ただこうした態度が安定的に持続せず、危うい発言が飛び出すというのがボルトンの不満点である。

なお、上記トランプ、習近平会談の約二カ月前に、中共を全面批判したペンス副大統領演説が行われている。ボルトンは、「かつてない最も大胆な中国スピーチ」と評価しつつ、こう書いている。「トランプが内容に非常な関心を示したため、演説の前日、ペンス、エアーズ（副大統領首席補佐官）、そして私が（ホワイトハウス内の）小さな食堂にトランプと共に座り、一行一行検討を加えた。要するに、ペンスが何を話すか知った上で、トランプは個人的に承認を与えたのである」。

これを見ると、先の米中首脳会談前半のやり取りもまた違った色合いを帯びてくる。会談前にトランプは、ペンスに政権の意思を代表させる形で、いわば習近平の胸ぐらを摑《つか》んで凄《すご》んだわけである。その上での歓談であり、頷きであり、そして最後に再び胸ぐらに手を掛けるかのような、強硬派ライトハイザーの交渉代表指名であった。これは「本能と思い付きだけ」で外交を行う人間の姿ではないだろう。

ボルトン回顧録から、トランプの放言だけを取り出すと、いかにも理念も節操もない不適格者のように映る（反トランプ・メディアがしていることが、まさにそれである）。しかしいま見たように、一連の流れを追えば、そこにトランプ独特の酔拳の動きに通ずる戦略性を感じないわけにはいかない。

たしかに大統領らしくない、どころか大人げない発言は頻繁にあり、それがボルトンのような純粋保守には無節操と映るわけだが、同時にトランプには、相手に笑顔で抱きつきながら経済制裁、軍事圧力を強める類の、よりスケールの大きな節操のなさもある。騙《だま》せるようで騙せない。「攻撃には一〇倍返し」を信条とするから正面から叩くのも危ない。「予測不能（unpredictable）が自分の武器」と公言している。独裁政権にとってトランプは嫌な相手だろう。

トランプは人権や安全保障に関心が高い方ではない。経験も限られている。一方、経済取引の知識と実績にかけては歴代大統領の誰をも凌駕《りょうが》するという強烈な自負がある。ボルトン回顧録にも、トランプが側近に、「歴代大統領はカネについて語るのは適当ではないと考えてきた。私の場合、まさにそこが得意分野だ」と胸を張る場面が出てくる。したがってその「得意分野」で、中共のようなファシズム官僚集団が自分をコケにすることは絶対に許せない。そして、ここが最大の攻めどころという意識もある。

中共の経済的不正行為を正すことで、不正利得を原資とする軍拡も抑えられるという発想がトランプにはあり、それは正しいとボルトンも述べている。

もっとも大枠で誤らずとも、細部の詰めで出し抜かれる危険は常にある。アメリカの大統領はあまりに忙しい。自ら事案の詳細を調べる時間などない。対中経済問題におけるライトハイザー、北朝鮮問題におけるボルトンのような、決して相手に裏をかかれないだけの知見を持ったアドバイザーが不可欠なゆえんである。

ボルトン解任で懸念される北朝鮮政策

中国「封じ込め」を進める上で、北朝鮮は厄介な攪乱《かくらん》要因である。対中宥和《ゆうわ》派の論理の一つが、「北朝鮮の非核化のためには中国の協力が不可欠。関係悪化は避けねばならない」だからだ。ボルトン回顧録から、その点に関連した箇所を見ておこう。

ボルトンによれば、中国と北朝鮮の高官が示し合わせたように囁《ささや》いてくる「北の内情」がある。

金正恩委員長は、アメリカに一切妥協するなと言う「軍の強硬派」を抑えて何とか合理的な線で米朝協議をまとめようとしている。もしアメリカが、三人の韓国系米国人（いずれも北で事業活動中に拘束されていた）の解放に何の見返りも与えなかったり、軍事圧力を維持したり、非核化完了まで制裁を解除しないとの態度を取ったりすれば、金委員長を国内的に難しい立場に追い込むことになる。北が提案する「段階的で相互的な措置」に応じて、制裁を解除していくべきだ――。

ボルトンによれば、「金正恩は、実際涼しい顔で、世論の支持を得られる方式が必要だと言った」という。もちろん北朝鮮は徹底した個人独裁であり、強硬派と穏健派がいて金正恩が舵取《かじと》りに苦労する、世論の圧力に思い悩むといった状況はありえない。ところが、歴代アメリカ政権は繰り返しこの論理に騙《だま》されてきた。あるいは「交渉の進展」を業績としたい交渉者が、あえて自己欺瞞《ぎまん》に陥ってきた。

ボルトンはかねて保守派の論客として知られるが、もう一つ、核拡散問題の専門家という顔がある。

先述のとおり、大量破壊兵器の拡散防止を担当する国務次官を務め、次いで国連大使として、北朝鮮に対する安保理制裁決議を取りまとめた。

非核化、無力化、凍結、核施設、核関連物資といった「業界用語」に潜む種々の落とし穴や、北朝鮮、イラン、中国、ロシアさらには国際原子力機関などの裏表ある行動パターンなどを、最前線の交渉を通じて熟知している。そのことは、核外交の実践教科書とも言える一冊目の回顧録『降伏は選択肢にない』(John Bolton, *Surrender Is Not an Option*, 2007)を読めば明らかである。

ボルトンは二〇一八年四月の大統領安保補佐官就任とともに、最高機密に接する権限を得、毎日午前三時には起床、出勤後数時間を費やして情報機関の最新報告をチェックしていたという。

したがって、国務省の米朝協議担当者が「北が制裁緩和と引き換えに画期的な提案をしてきた」とホワイトハウスに打診してきても、ボルトンがいれば、「それは何年何月の北朝鮮提案の焼き直しに過ぎない。これこれの部分に落とし穴がある。また最新情報によれば、北にはこれこれの秘密施設があり、その新提案なるものの欺瞞性は明らかだ」といった具体的反論で撥ね付けることができた。

北朝鮮はボルトン排除を米側に繰り返し求めたが、その「先制攻撃論」以上に核分野の専門知識を嫌ったと言えよう。ボルトンがいる限り、騙せないのである。

ボルトンの補佐官退任で、トランプが「引っ掛かる」可能性は明らかに高まった。トランプは悪いディールに乗るつもりはないだろう。しかし、核分野で良いディール、悪いディールを判断できる能力が備わっているわけではない。

それを端的に示したのが、ボルトンの解任理由を説明したトランプ発言である。「ボルトンはいくつかの重大なミスを犯した。北朝鮮に関してリビア・モデルを持ち出し、（交渉機運が）著しく後退した。金正恩委員長が怒ったのももっともだ」

ここには基本的な認識不足がある。拡散防止におけるリビア・モデルとは、核関連物資の海外搬出および徹底した査察で核廃棄が確認された後に制裁解除を行うもので、体制転換（レジーム・チェンジ）は要素に入っていない。

　現にリビアのカダフィ政権は、二〇〇三年に核・化学兵器・中距離以上のミサイルの全面廃棄に応じた結果、制裁解除を得、石油の輸出増で財政が安定した。二〇一一年の政権崩壊と民衆によるカダフィ殺害は、「アラブの春」の大波にあおられたためで、核廃棄は関係ない。

　ところがトランプは、リビア・モデルとは独裁者を武装解除させた上で死に追いやることだと誤解している。そして北朝鮮は、その誤解に乗じて、「最高尊厳の横死を公然と唱えるボルトンがいては交渉などできない」と排除を執拗《しつよう》に要求し、首尾よく実現させたわけである。

　すなわちトランプに非核化問題の知識がないがゆえに北に騙された、まさにその典型例がボルトン排除だったと言える。ボルトンは「リビア・モデルの意味を、これ以上ないほど明確に説明したが、結局、大統領の頭に入らなかった」と述懐している。

米朝首脳会談、危うい場面

北朝鮮側の狙《ねら》いは、「段階的、相互的な措置」という「いつか来た道」に再度米側を引き込み、制裁解除や経済支援をただ取りすることにある。ボルトン回顧録から、米朝協議の一場面を引いておこう。

二〇一九年二月にハノイで行われた第二回米朝首脳会談は、トランプが席を立つ形で物別れに終わった。北朝鮮が中途半端な案しか出してこなければ「席を立つ」(walk away)というのはトランプが事前に示していた方針で、現場で決断したのもトランプだった。「トランプは正しい洞察を示した。ハノイで『席を立つ』ことが、対中交渉でもどこでも同じ姿勢を取れると世界に明示することになる」とボルトンも評価している。

金正恩は、定義の不明確な「寧辺《ニョンビョン》の核施設の廃棄」と引き換えにほぼ全制裁の解除という、ボルトンならずとも論外の案を米側に呑ませようとした。会談の終盤に危うい場面があった。トランプが金正恩に対し複数回、「何か追加提案はないのか、例えば制裁の完全解除ではなく何％かの解除とか」と尋ねたのである。「疑いもなく、これは会談における最悪の瞬間だった」とボルトンは言う。金正恩が何か譲歩案を示したら、トランプは呑んでしまったかもしれない。しかし幸い、金正恩は新提案を示さなかった。外交経験に乏しい独裁者の青さが出たと言える。

もっとも金正恩が「譲歩案」を出したとして、トランプがその場で受け入れたかどうかは分からない。たとえ口頭でOKしても、ボルトンが脇にいる以上、巻き返しは十分可能だったろう。

ボルトンの非核化構想は明確である。まず北朝鮮に核関連の申告をさせ、米側の情報と突き合わせて非核化対象を特定する。対象の解体・搬出作業は、リビアの例に照らし六～九カ月で完了する。その後で制裁を解除するというものである（これが北朝鮮版リビア・モデル）。

ボルトンはスティーブン・ビーガン北朝鮮担当特別代表の交渉姿勢が「明らかに弱い」と繰り返し批判している。

文在寅《ムンジェイン》韓国大統領の外交特別補佐官で従北派の代表格、文正仁《ムンジョンイン》によれば、「ハノイ会談に向けてトランプはビーガンに協議案を作成するよう伝えたが、これは韓国政府案と非常に似ていた。核凍結だけでも部分的に制裁を解除し、ロードマップを作って段階的に解決しようというものだった。……その後、ボルトンがビーガンの案を見てすぐにペンスに電話をかけ『完全に米国を亡ぼすものであり、作り直すべき』と指示した」という（中央日報二〇二〇年七月二日）。

ボルトンのビーガン評と符合している。日本政府は警戒感を強め、適宜米側にクギを刺していかねばならない。

「北朝鮮が嘘をついているとなぜ分かるのか。彼らの唇が動いているからだ」。ボルトンが好むジョークである。実際、北の「約束」や「申告」「調査結果」はすべて欺瞞と見ておかねばならない。

ボルトンが評価する日本人たち

ボルトンは、独裁テロ国家相手に話し合いで物事を解決しようとしても時間稼ぎをされて状況が悪化するだけ、外交的、経済的、軍事的あらゆる圧力を高めて相手の体制を倒す以外ない、という強い信念を持っている。軍事的圧力には、相手の対応次第で先制攻撃に出ることも含まれる。ボルトンがしばしば危険人物扱いされる理由である。

ともあれ、この信念に同意する度合いに応じて、ボルトンの人物評価は定まっていく。そして北朝鮮問題に関し、ボルトンが最も高く評価するのは、日本の拉致被害者家族会である。

二〇一九年五月二七日、令和最初の国賓としてトランプ大統領が訪日し、家族会と面談した。ボルトンも同席している。「家族の人々はトランプを前に遠回しな言い方はしなかった。ある人は『北朝鮮はあなたに嘘をつき騙そうとしている』と言い、別の人が『北朝鮮は三世代にわたってテロ国家だ』と付け加えた」。

そのとおり、よく言ってくれた、という思いが行間から伝わってくる。ボルトンは安倍晋三首相の姿勢も非常に高く評価している。ただし、安倍がトランプの北朝鮮政策を褒めそやすのは立場上分かるが、トランプが誤解しないようクギを刺すことも必要だと注文を付けている。

もっとも安倍首相は、ボルトン回顧録を見ても、①北朝鮮には軍事的圧力が何より重要である、②あらゆるオプションがテーブルの上にある（すなわち軍事力行使もありうる）というアメリカの立場を支持する、③北の定義する「行動対行動」を受け入れ制裁を緩和してはならない、④核だけでなく生物・化学兵器の廃棄も求めねばならない、⑤大陸間弾道弾だけでなく中・短距離ミサイルの廃棄も求めねばならない、などの諸点をトランプに繰り返し念を押している。

ボルトンは、いずれも自分の考えと同じだとした上、トランプには重要ポイントを何度も強調し、思い出させねばならないことを安倍はよく分かっていたと評している。

北の非核化のペースに関して、ボルトン回顧録に次の記述がある。第一回米朝首脳会談を前にした時期の話で、谷内正太郎ＮＳＣ事務局長との会話の場面から始まる。

この時点では、日本は、トランプ・金正恩会談の直後から非核化をはじめ、二年以内に終えることを望んでいた。しかし私は、リビアでの経験に基づき、非核化は六から九カ月以内に終えられねばならないと強く主張した。谷内はただ微笑しただけだったが、翌週、安倍がトランプとマール・ア・ラーゴ（フロリダにあるトランプの別荘）で会った際、安倍が、非核化は六から九カ月で終わらせるようにと求めた！

この日米首脳の会合は二〇一八年四月一七日から一八日にかけて行われたもので、シンガポールでの第一回トランプ・金正恩会談（二〇一八年六月一二日）の約二カ月前に当たる。ボルトン回顧録の注によれば、その後、非核化に要する期間を一年とすることで日米の認識をすり合わせたという。

この記述から、北の核問題で、谷内が安倍の補佐官としての役割を忠実に果たしたことが分かる。ボルトンが言うとおり、非核化完了まで二年という数字が、実際、日本側からおおやけに発信されたことがある。例えば当時の河野太郎外相が、「東京五輪（二〇二〇年盛夏）までに完了させたい」と語り、大きくニュースとして流れた。

これは間違ったメッセージとなるとボルトンが危惧したのも当然だろう。そもそも北の非核化とオリンピックの間に何の関係もない。

ボルトン、谷内コンビを通じて、安倍が米側の意向を知り、立場を修正ないし明確化したのはよかったが、重要問題で閣僚クラスが思い付きの数字を口にすべきではないだろう。そもそも北が非核化するはずがないから期限に大した意味はないとも言えるが、日本政府はリビア・モデルを知らないと思われると相手は一層舐《な》めてかかってくるだろう。

ボルトンは谷内に、在日米軍駐留費の日本側負担を現行の約二五億ドルから八〇億ドルに増やすべきというトランプの要求を伝えたとも記している。この回顧録出版に当たって、日本で最初にニュースになった部分である。

トランプは韓国に毎年五〇億ドル、日本に八〇億ドル出させるには、米軍撤退をカードにするのがよいと述べ、「それが、非常に強い交渉の立場を得ることにつながる」とボルトンに指示したという。金額の根拠は、米軍の駐留経費に、「守ってもらう」謝礼として半額を上乗せしたものだという。

ボルトンによれば、アメリカが単に韓国や日本を「守っている」と考えるのは誤りで、同盟はアメリカ自身の利益にもなっていると繰り返し説得を試みたが、トランプは一切聞く耳を持たなかったという。

ボルトンは、「米軍撤退はトランプの場合本気だ。特に韓国に関してそう言える」と各種インタビューで語っている。これは期せずして、交渉に臨むトランプの援護射撃になっている。対立しているようで微妙にチームプレーにもなる、このあたり、日本の野党も学ぶべきだろう。

この「アメリカが日本を守っている」と「基地はアメリカの世界戦略に寄与している」という二つの論のせめぎあいについては、第6章の結語で敷衍《ふえん》したい。

なお、北朝鮮に関して、「イラン核合意のような中途半端な妥協をしてはならない」と強くクギをさす安倍が、石油の安定供給の観点から当のイラン核合意を支持するのは「分裂症的」だという批判の言葉もボルトンは記している。

現象的にはたしかにそうだが、イランとの合意をまとめたのはアメリカのオバマ政権であり、バイデン政権になれば、再び合意に復帰する可能性が高い。アメリカも政権が代わるごとに分裂症の様相を呈しており、日本政府が、時の米政権の意向に安易に寄り添えないと考えても無理はないだろう。

ともあれ、北朝鮮問題については、ボルトンは安倍の認識および政策を終始高く評価している。

文在寅をコケにするトランプ

一方、ボルトンが心底からの侮蔑《ぶべつ》感を見せるのが韓国の文在寅大統領である。東京とソウルの立場は一八〇度違うと嘆じている。

韓国政府は、事態が平和的な南北統一に向かっているとの見せかけ欲しさに無原則に北に擦り寄り、全く何の成果も生まず北の凄惨《せいさん》な抑圧体制を生き延びさせただけの太陽政策に無批判に回帰したというのがボルトンの見立てである。

トランプは、文在寅の話を途中で遮る、通訳に文の発言を訳さなくてよいと言う、などの対応がよくあると米側関係者から聞いていたが、ボルトン回顧録にも、トランプが文在寅を邪険に扱う場面が出てくる。

例えば二〇一九年六月三〇日、三回目の米朝首脳会談のため南北境界線の板門店に向かう前、トランプ一行は韓国大統領府（青瓦台）を訪れ、意見交換した。その場でトランプが、在韓米軍駐留経費の韓国側負担を大幅に増やすよう求めたところ文在寅が、韓国は対米投資を増やし、貿易収支はいまやアメリカ有利に傾いているなどと説明し始めた。

するとトランプは、「はっきり不満を体で表し、文に対してもっと早く話せとジェスチャーし、苛立《いらだ》った顔を米韓双方の出席者に向けた」という。

そのしばらく後にも、「トランプは手を振り、肩をすくめ、ため息をつき、もう聴き飽きたという様子」を見せたとの記述がある。

型破りで知られるトランプだが、ボルトン回顧録を通読しても、ここまでの扱いを受けた首脳は他にいない。ボルトンの筆致も明らかに文に冷ややかである。

この日板門店で予定されていた米朝首脳会談は、Ｇ20サミットで東京に来ていたトランプがツイッターで金正恩に呼び掛け、急遽《きゅうきょ》決まったものである。

「どこに迷い込むか分からないツイートが実際の会談に至るさまを見て、私は胸が悪くなった。もっともトランプの動機は、この前例のない非武装地帯での邂逅《かいこう》がメディアに報じられ写真が載ることだけで、実質的中身は何もない。私はそう考えることで若干の慰めを得た」とボルトンは書いている。非人道的な独裁者に「急に会いたくなったので声を掛けた」ふうの外交はアメリカの理念を損なうというのがボルトンの考えである。

一方文在寅は、この展開に胸を躍らせ、何とか割り込んで、北から歩み寄る「金正恩を自分が出迎えてトランプに引き渡し、立ち去る」という場面を作りたいと米側に頼み込んでいる。板門店で会うのに、韓国大統領である自分がいないのは不自然とも訴えている。

しかしすでに二度会っているトランプ、金正恩にとって文在寅の「引き合わせ」など必要ない。「歴史的場面」を演出する上で、トランプにとっては格下、金正恩にとっては召使いに過ぎない文在寅の存在は単に目障りである。

アメリカ大統領と対等かつ特別の関係にあると世界にアピールするためにのみ出てきた金正恩としては、文在寅にホスト役を演じさせるなど論外であろう。

もっともトランプは文在寅に対し、「一緒に行こう。あなたは大いに映えるはずだ」と期待を煽《あお》るようなリップサービスをしている。ボルトンの解説によれば、「もちろんこれはトランプがわれわれに言ってきたところとは異なる」。

即座に脇からポンペオ国務長官が、「文の考えを昨夜北に伝えたが、北が拒否してきた」と伝えると、トランプが「文にもぜひ立ち会ってほしかったが、北の要請をそのまま伝えるしかない」と付け加えた。これも「完全な作り話」とボルトンは書いている。すなわち、トランプと金正恩だけで板門店パフォーマンスをする、と事前に米朝で決めていたのである。

文在寅はなおも食い下がったが、トランプは、計画を立てたシークレットサービスの指示に従うしかないと別の理由を上げて謝絶した。「これまた作り話」とボルトンは言う。状況を察しえず固執する韓国側が愚かとはいえ、要するにトランプは文在寅を弄《もてあそ》んでいるのである。

トランプは最後に、文在寅がソウルでトランプを見送り、米朝板門店会談が終わったのち、ソウル南方の米軍烏山基地で再び米韓首脳が会うという提案をするが、文在寅はあくまでトランプと一緒に板門店に行きたい、対応はその場の流れで考えると応えた。このあたり、いくら踏まれても絡みついていく文在寅の粘着力ないし卑屈力に感心する。

ところで、青瓦台に向かう車中でボルトンは、北が、双方首脳プラスワンの計四人、四〇分程度の小規模短時間の会談を希望していると聞かされていた。その後、北のプラスワンは李容浩《リヨンホ》外相らしいので、米側はポンペオ国務長官が出ていくことになろうと告げられる。

ボルトンは板門店行きの用意をしていたが、会談場に入れないなら意味がないと、かねての計画どおり、ソウルからまっすぐモンゴルの首都ウランバートルに向かうことにした。

つまりボルトンも首脳会談の場から外されたわけである。少なくともボルトンを排除したい北の意向にトランプは逆らわなかった。もっとも四〇分の会談と言えば、双方が話すのは二〇分ずつ、通訳の時間を差し引けば一〇分ずつ、挨拶、雑談の時間を差し引けば、実質的には五分ずつ程度になる。

その後に急な展開があったわけでもなく、おそらく今後も協議を続けていこうぐらいのやり取りだったろう。

ボルトンは回顧録で、日韓の歴史問題にも触れている。二〇一九年四月一一日、文在寅一行がホワイトハウスを訪れ、北朝鮮に関する話が一段落したところで、トランプが日韓関係はどうなっているのかと尋ねた。

文は、「歴史が日韓関係の将来に介入してはならない、しかし時々日本が蒸し返してくる」と答えた。ボルトンは、「もちろん歴史を蒸し返しているのは日本ではなく文在寅であり、自己目的のためだ。私の見るところ、文は、他の韓国の政治指導者同様、国内で難局に直面すると日本を持ち出して問題化する」と解説している。

ボルトンはまた、「トランプは北朝鮮に、大規模かつ利益を生む民間投資の展望を示すだけで『対外援助』は一切約束しなかった。日本と韓国が経済的コストの大半を担わねばならないというのが、トランプが成功と考える核ディールの重要条件だった」という。

その点で、「もし一九六五年の日韓条約が、ソウルとの関係で何ら過去の清算になっていなかったとなれば、東京がピョンヤンに一体何を期待できるというのか」と慨嘆している。朝鮮半島の人間は約束を反故《ほご》にするという見本を韓国政府が見せるなら、日本が不信感を増幅させ、トランプの考えるディールの枠組みが壊れかねないわけである。

正しい認識であり、ボルトンがトランプと衝突して政権を去ったのは、アメリカが核で北朝鮮に騙されないためにも、歴史で韓国に騙されないためにも残念だったと言わざるをえない。

イラン政策で対極をなすトランプとバイデン

なおボルトン回顧録が叙述の対象とするのは、基本的に二〇一九年九月に安保補佐官を辞任するまでの時期である。しかし、その後の武漢ウイルス禍、香港への国家安全法適用などを経て、トランプ政権の対中姿勢は一段と厳しさを増した。本書に描かれたトランプは、必ずしもその後のトランプと同一ではないだろう。

またボルトン退任後の二〇二〇年一月三日、イラン傘下の武装集団による攻撃で米軍関係者に死傷者が出たことを受け、トランプ政権は、イランの対外破壊活動の責任者ソレイマニ司令官（革命防衛隊コッズ部隊長）の殺害作戦を実行した。

ポンペオやボルトンはかねて、イランの「手下」による攻撃で米側に死傷者が出た場合、イラン本体の責任と見なして「圧倒的な反撃」を加えると強調してきた。その「レッドライン宣言」どおりに攻撃を実行したわけである。イランの破壊活動に対する抑止力のみならず、衝撃をもって受け止めたであろう北朝鮮などへの抑止力も格段に高まった。

ボルトンはこの作戦は正当化できるとインタビューで答えている。一方バイデンは、自分が大統領なら実行命令を出さなかったと明言している。

バイデンを支える民主党の有力者たちも軒並み、革命防衛隊と傘下グループは分けて考えるべきで、後者の行為に関してイランに報復を加えるのは間違いだとトランプを批判した。

トランプ、バイデン両者の姿勢が最も大きく異なるであろう点の一つと言える。しかも対イラン政策は、長年ボルトンが戦略的思考のメルクマール（判断指標）としてきたものだった。

トランプは「本能と思い付きだけ」で不安定だとボルトンは言うが、民主党バイデン政権になれば、本能に著しく背馳《はいち》する左翼イデオロギーの方向に、一時の思い付きでなく邁《まい》進《しん》しかねない。トランプを再選させてはならないという結論には、やはり「首を切られた」感情的なしこりも関係しているのではないか。ボルトンを評価してきた人間として残念である。

第6章

冷戦に学び中国を封じ込めよ

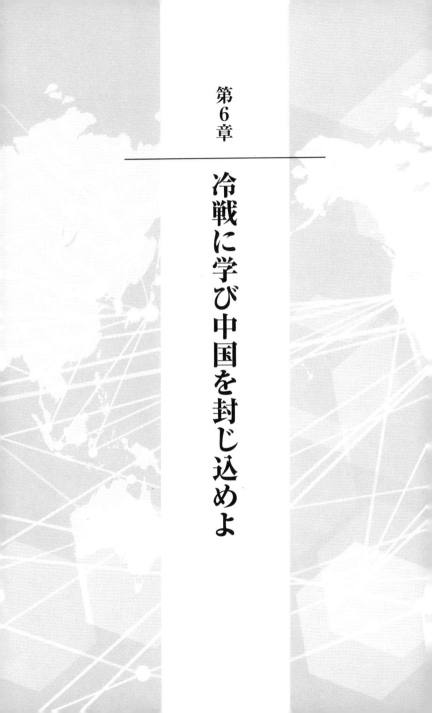

「勝つことによって終わらせる」レーガンの冷戦戦略

ソビエト連邦崩壊の過程は、現代中国の行方を考える上で多くの参考資料を提供してくれる。「悪の帝国」ソ連を崩壊させた最大功労者の一人、ロナルド・レーガン米大統領（一九一一―二〇〇四）は「勝つことによって冷戦を終わらせる」が口癖だった。「われわれが勝つ。彼らは負ける。それが私の冷戦戦略だ」という単純ながら本質を突いた言葉もレーガンにはある。

ソ連崩壊後の一九九二年にレーガンが共和党大会で行った演説はさまざまに示唆深い。レーガンはまず、「私は共産主義の誕生と共産主義の死を見てきた」と語り始める。共産主義の誕生とは一九一七年のロシア革命、その死とは一九九一年のソビエト連邦解体を指す。永遠に続くかに思えたソ連も、結局、人間でいえば七四歳で生涯を終えたわけである。悠久の歴史から見れば泡沫《うたかた》のごとき存在だった。

一九四九年に誕生し、二〇二〇年に七一歳を迎えた中国共産党独裁体制も、一見盤石に見えるが、その実、寿命が尽きかけているのかもしれない。かつてのソ連に対してと同様、「倒せる」「われわれが勝つ、彼らは負ける」という気構えが、まず自由主義陣営の側に必要だろう。

レーガンは、現役時代に自らが行った一九八二年の英議会演説（共産主義は「歴史の灰だまり」に落ちていくという一節で知られる）と一九八三年の「悪の帝国」演説を引き合いに、次のように言葉を継いで、会場を沸かせている。

われわれは堂々と胸を張って、共産主義は歴史の灰だまりに落ちていく運命だと宣言した。そのことで、リベラル派の友人たちから、かつてないほどの嘲笑《ちょうしょう》を浴びた。彼らを唯一、一層動揺させたのは、単純な二つの単語、「悪の帝国」（Evil Empire）だった。しかし、民主党指導部にはどうしても分からないことをわれわれは当時から理解していた。アメリカが力と決意を取り戻したからといって空が落ちては来ない。アメリカの大統領が真実を語ったからといって空が落ちては来ない。唯一落ちてきたのは、ベルリンの壁だった。

私は、別の大会（民主党大会）で登壇者たちが「われわれは冷戦に勝った」と言うのを聞いた。しかし疑問に思わざるをえないのだが、彼らが言う「われわれ」とは、正確なところ一体誰を指すのだろうか。

レーガンの最後の問い掛けに対し、会場からは「ユー！　ユー！（あなただ）」という喚声が一斉に上がった。

ここで注意すべきは、レーガンの「疑問」は、実は民主党や主流メディアに対してのみならず、共和党内のデタント（緊張緩和）派にも向けられていることである。

ソ連の人権抑圧を事実上黙認した上で、交流を増やし、安定的な平和共存関係を築いていくというのがデタント派の立場である。レーガンは、これは世界の半分の人々を見捨て、「奴隷は自らの運命を受け入れよ」と言うに等しいと厳しく批判した。

なお、デタントの立役者ヘンリー・キッシンジャー国務長官らは、平和共存を「勢力圏の相互確認」と位置づけたが、ソ連側は米ソ正面の安定を奇貨として、ニカラグア、エルサルバドルなど「アメリカの裏庭」を含む第三世界での勢力拡大に一段と拍車をかけた。

オバマ政権時代に、習近平が米中「新型の大国関係」を唱えた際に狙《ねら》ったのも同様の状況と言える。すなわち、米中二国関係を安定させておいての、周縁部での勢力圏拡張である。南シナ海侵出やベネズエラ（「アメリカの裏庭」の一つ）の独裁政権へのテコ入れはその一環で、かつてのソ連の行動に近似する。

一九八三年のレーガン「悪の帝国」演説は、ともすれば冷戦を「米ソ対立」と捉え、第三者的立場に隠れがちな同盟国に自覚を促したものでもある。当時は、ソ連の新型中距離核ミサイルへの対抗策として、アメリカを中心とするＮＡＴＯが欧州正面に中距離核ミサイルを配備し、その上で相互撤去交渉に入る「ダブル・トラック」戦略を進めていた。それに対して、左翼勢力中心の「核凍結」運動が西側各国で起こった。この運動が功を奏すれば、実質的にＮＡＴＯ側の核配備のみが止まることになる。

この事態に警告を発したのがレーガンの「悪の枢軸」演説であった。

核凍結をめぐる論議が盛んだが、私は、自らを気楽な高みに置いて、双方とも同じく間違っていると決めつける思い上がりの誘惑に警戒するよう求めたい。歴史的事実および悪の帝国の侵略衝動に目を塞ぎ、単純に軍拡競争を巨大な誤解と呼ぶことで、正と邪の闘い、善と悪の闘いから逃げることがないよう求めたい。

デタントを、「自由の闘士への裏切り」と忌避したレーガンの冷戦戦略は以下のように要約できよう。

①経済的に締め上げて、ソ連のレジーム・チェンジ（体制転換）を追求する。

②ソ連指導部の反発を顧慮せず、人権問題で「真実を語る」。

③「力を通じた平和」。軍拡競争で相手を疲弊させることも含め、軍事力でソ連を圧倒

する。

④ソ連のテクノロジー窃取ネットワークを破壊すべく、カウンター攻撃を実施する。

大物スパイ「フェアウェル」

ソ連の主な外貨獲得源は石油だった。国際市場で原油がだぶついて価格が下がれば、それだけ共産党の資金も減る。レーガンは世界最大級の産油国サウジアラビアに対し、最新戦闘機の供与と引き換えに原油を増産するよう働きかけた。当時サウジと敵対関係にあったイスラエルおよび米ユダヤ・ロビーが戦闘機売却に強く反対したが、レーガンは粘り強く説得し、乗り切った。

レーガン政権は、ソ連に重要テクノロジーが渡るのを防ぐため、対共産圏輸出規制の厳格な執行にも力を入れている。デタント最盛期の一九七〇年代には、対ソ違法輸出事件の起訴件数は年間わずか二、三件だったが、レーガン政権発足後、着実に増え、一九八六年一月には月間（年間ではない）起訴件数が一〇〇を超えるに至った。

厳格な法執行と並行して、ソ連の産業スパイ網を破壊するカウンター攻撃も実施している。一例を挙げておこう。「フェアウェル工作」と呼ばれる秘密作戦である。

この作戦の概要は、後年、ＮＳＣでテクノロジー移転問題を担当したガス・ワイスによって明らかにされた。

一九九六年、ＣＩＡ課報研究センターの機関誌『課報研究』第五号にワイス執筆の「フェアウェル文書」（The Farewell Dossier）という論文が載った。

冷戦期、ソ連は西側から科学技術情報を盗むべく大がかりな工作活動を展開していた。担当部署は、対外課報を統括する国家保安委員会（ＫＧＢ）第一総局に設けられたＴ部局、工作の実働部隊はＸ戦線と呼ばれた。

一九八一年、フランス情報部がＫＧＢの内部に重要情報源を獲得する。ウラジミール・ヴェトロフ大佐、コードネームは「フェアウェル」。告別あるいは別れを意味する言葉である。Ｔ部門が集めてきた情報の評価を担当する、当時五三歳のエンジニアであった。ヴェトロフは、約四〇〇〇枚の関係資料を密かに写真撮影し、フランス・サイドに渡した。フランス情報部はこれらを一括して「フェアウェル文書」と名付けた。

一九八一年七月、先進国オタワ・サミットの際に行われた米仏首脳会談の場で、フランソワ・ミッテラン仏大統領がレーガンにフェアウェル文書の存在を伝え、情報の共有を申し出た。

翌月フランス情報部からＣＩＡにファイル一式が引き渡された。その分析に当たった一人がワイスであった。精査したところ、ソ連の産業スパイ部隊X戦線の手は、レーダー、コンピュータ、工作機械、半導体など広範囲に伸びており、収集予定リストの内、三分の二以上がすでに確保済みとなっていた。

しかし、T部局がこの先入手を狙っているテクノロジーのリストはいまや米情報部の手にある。ワイスは、そこにカウンター攻撃のチャンスを見た。

テクノロジーでの対ソ・カウンター攻撃

一九八二年一月、ウィリアム・ケイシーCIA長官の元を訪れたワイスは一つの作戦を提示した。米側が「改善を施した」バージョンを、X戦線に摑《つか》ませる。一見純正品と区別がつかず、初期段階の製品検査も通るが、一定時間が経過すると異常な働きをする、要するにウイルスを仕込んだバージョンである。

仮に二重スパイが米側内部にいて、こちらの作戦がモスクワに知られたとしても、ソ連側は、以前にX戦線が得たものも含め、すべての獲得物に疑いの目を向けざるをえなくなろう。すなわち途中でカウンター作戦が露見しても、それはそれで別の攪乱《かくらん》効果が期待できる。どちらに転んでも損はなく、諜報の世界でこれだけの機会はなかなか得られない。

ワイスの説明を聞いたケイシーは、この作戦が気に入った。

ケイシーがレーガンに作戦実行を進言したところ、レーガンは大喜びでゴーサインを出したという。

早速、ＣＩＡ、国防総省、ＦＢＩの専門家からなるプロジェクト・チームが結成され、Ｘ戦線に欠陥部品や欠陥設計図を掴ませる作戦が次々実施されていった。

ワイスは情報管理の必要上、簡単にしか記していないが、誤作動を起こすコンピュータ・チップがソ連の軍事施設に組み込まれたり、欠陥タービンが天然ガス・パイプラインに取り付けられたり、偽の設計図に従って化学プラントやトラクター工場が建てられ、不良品を生産したりなどの「成果」が上がったという。

その後ＣＩＡは、ＮＡＴＯ各国の情報部にＸ戦線の動きを伝え、対抗措置を講じるよう促した。その結果、約二〇〇名に及ぶソ連のスパイや協力者が逮捕あるいは国外追放され、Ｘ戦線は組織として壊滅的打撃を受けた。

ソ連のテクノロジー窃取工作がマヒ状態に陥った、ちょうどそのタイミングで、レーガンが画期的なミサイル防衛構想（ＳＤＩ）を打ち上げた。テッド・ケネディ、バイデン両上院議員を中心に、米リベラル派はこれを「スターウォーズ計画」と呼び、おとぎ話に過ぎないと揶揄《やゆ》したが、ソ連指導部には大きな衝撃が走った。

テクノロジー大国アメリカが本気で取り組めば、まずソ連に全面先制攻撃を加え、ソ連側が反撃発射する少数の残存核ミサイルはすべて撃ち落とす程度の迎撃システムは構築可能、と当時のソビエト指導部は考えた。公開された旧ソ連の秘密文書によると、ミハイル・ゴルバチョフ書記長が最高幹部会合で繰り返し、SDIにソ連は技術的・財政的に対抗できず、決定的な戦略的劣位に陥るとの危惧を表明している。

アナトリー・ドブルイニン駐米ソ連大使（当時）も回顧録に、米大統領が自信に満ちた表情で計画を発表する以上、「テクノロジー面でのブレイクスルーがあったのではないかと怖れた。……わが指導部は、アメリカがその大きな技術的潜在力で再び成果を上げたと確信し、レーガン声明を真の脅威と受け止めた」と記している（Anatoly Dobrynin, *In Confidence*, 1995）。

レーガン（Reagan）を危険な「光線銃（Ray gun）」「無謀なカウボーイ」と非難し、「スターウォーズ計画」と嗤《わら》うリベラル派の言動も期せずしてソ連側の不安を倍加させた。

現代史家スティーブン・ヘイワードは次のように書いている。

テッド・ケネディ上院議員をはじめとする民主党側は、「スターウォーズ」と呼び習わすことで、この構想をうまく笑いものにできたと考えた。しかし、レーガンの構想を、史上最も人気のある映画シリーズと結びつけてけなす試みが、はたして効果的戦術と言えたか疑問である。もちろん、常識あるアメリカ人は、ルーク・スカイウォーカー（宇宙の暗黒勢力と戦う主人公の一人）やフォース（超常力を与える特殊なエネルギー帯）がファンタジーだと分かっている。と同時に、アメリカ人は大胆なイマジネーションが好きでもある。ミサイル防衛構想は、レーガンがアメリカ一般における議論の前面に引き出して以来、非常に強い世論の支持を受けてきた（Steven Hayward, *The Age of Reagan 1980-1989*, 2009）。

中共もソ連のX戦線同様、先進各国に産業スパイ網を張り巡らせてテクノロジー窃取を続けてきた。レーガンの顰《ひそ》みに倣えば、防備を固めることに加えて、機会があれば「フェアウェル工作」のようなカウンター攻撃もためらうべきではないだろう。それが不正行為に対する大きな抑止力になる。

ところが日本の場合、専守防衛に反するとして、陸上自衛隊のサイバー部隊でさえ、一切ウイルス発信先へのカウンターアタックが許されないという。すなわち抑止力ゼロである。政治がリーダーシップを発揮し、そうした愚かな自縄自縛状態から早期に脱却せねばならない。

以前、アメリカの中国専門家で元情報部員のマイケル・ピルズベリーと対談した折、興味深い話を聞いた（「月刊正論」二〇一六年一月号）。

ピルズベリーは冷戦期、米国がアフガニスタンで展開した対ソ反撃工作の中心にあった。

彼によれば、「アメリカは四〇年にわたって中国と密かな協力関係を維持してきた。それには、ソ連に対する秘密作戦で手を握ったことが大きい。ソ連領内の施設を破壊しに行くアフガン・ゲリラを米中合同で支援する、というところまで踏み込んだ。協力というより共謀だ。そしてこうした実態は何ら日本に知らされなかった」という。

なぜか。「日本にはＣＩＡがないからだ。単に情報収集の機関という意味ではない。日本は秘密作戦を行わない。一方、アメリカと中国は行うし、そのための機関を持っている。そこに、米中ならではの深い協力関係が生まれた」。

体を張った「共謀」にまで踏み込めるかどうかが国家間関係の質を決めるというわけである。日本も作戦部門を備えた対外情報機関の本格整備に進まないと、アメリカとの同盟といっても、表層だけのものに終わりかねない。

なお、「フェアウェル」ことヴェトロフ大佐は、最終的にＫＧＢに動きを察知され、一九八三年に処刑された。冷戦の埋もれたヒーローの一人と言える。

シベリア・パイプラインの爆発「事故」

レーガン時代、NSCでワイスと同僚だったトマス・リードは、回想録で、欠陥タービンをソ連の天然ガス・パイプラインに取り付けさせることに成功したというワイス証言を次のように敷衍《ふえん》している。

パイプラインのポンプ、タービン、バルブを司るソフトウエアは、しばらく普通に動いたあと、異常を発生させるようプログラムされていた。ポンプのスピードとバルブのセッティングがリセットされ、パイプラインの結節部と溶接部の許容範囲をはるかに超える圧力を生み出す仕掛けだった（Thomas Reed, *At the Abyss: An Insider's History of the Cold War*, 2004）。

一九八二年夏にシベリアで起きたパイプライン大爆発は、おそらくそこに起因するというのが、二〇年後にワイスから作戦内容を聞かされたリードが下した結論である。

シベリアと西ヨーロッパを結ぶ長大な天然ガス・パイプラインの建設は、ソ連に西側の資金とテクノロジーを流入させ、同時に西欧諸国がモスクワに「エネルギーのバルブ」を握られることをも意味するというレーガンの強い異論にもかかわらず、デタント・ムードの中、着々と進められていた。

　今後アメリカが、中国共産党の影響下にある企業に対するハイテク技術流出を「あらゆる手段を用いて止める」と言う場合、特に共和党政権であれば、こうした秘密作戦もオプションに入ってくるだろう。

チェルノブイリと武漢ウイルスの類似

　二〇二〇年二月初旬に北京大学の憲法学者ら五〇人以上の中国人識者が、文字どおり命がけで発表した声明文に、武漢ウイルスの蔓延《まんえん》は「言論の自由の封殺によって引き起こされた人災だ」とある。いち早く警鐘を鳴らした若い男性医師が、「デマを流した」と逆に当局に弾圧されたのが典型例である（第1章参照）。

　ここでもソ連の例を想起したい。

　一九八六年四月二六日の深夜、ソビエト連邦内ウクライナ共和国の北辺に位置するチェルノブイリ原発が炉心溶解事故を起こし、爆発した。社会主義「計画不経済」システムがあらゆる面で動脈硬化を起こす中、科学技術の粋を集めた原子力施設だけは問題なく機能していると されていた。

その原発が重大事故を起こした上、関係当局者がひたすら事実の隠蔽《いんぺい》と責任転嫁に汲々《きゅうきゅう》とした。夜明け以降も一般市民に何ら事故の情報は知らされず、屋外で結婚披露宴を催した人々や街路で遊んでいた子供たちが次々と被曝し、深刻な放射線障害を受けた。

前年三月にソ連共産党の最高ポスト、書記長に就いていたゴルバチョフは後に、「チェルノブイリは真に私の目を開いた」と述懐している。ブレジネフ、アンドロポフ、チェルネンコと体制の末期症状を体現するようなトップが続いた後、輿望《よぼう》を担って登場したゴルバチョフ（就任時五四歳）だったが、守旧派の抵抗は根強かった。

しかし結果的に、チェルノブイリ事故が体制を根幹から揺るがす方向に改革を後押しした。ポリトビュロー（政治局）会議の席上、ゴルバチョフは、被害の拡大は「驚嘆すべき無責任に起因する」、「原子力関連の既存エリート層は、卑屈とおもねり、派閥根性、異論を唱える者の迫害、うわべの取り繕い、個人的なコネ、徒党傾向に支配されている」と厳しく論難を重ね、「古いシステムにはもうどんな可能性も残っていない」と結論付けた（William Taubman, *Gorbachev*, 2017）。

これらすべてが、習近平を頂点とする現在の中共独裁体制にも当てはまるだろう。不幸にして、ゴルバチョフに見られた大胆や熱気は習近平に望むべくもなく、旧ソ連でいえば、改革の流れに漫然と逆らった守旧派の最後の砦《とりで》チェルネンコ（就任時八二歳、一年後に死亡）に近いだろう。

習近平体制が続く限り、自由はもちろん繁栄もないと中国人の多くが感じるような状況を国際社会がいかに作り出し、早期に中国版ゴルバチョフの出現を促せるかが、文明の行方を左右するカギとなろう。

レーガン保守なら中国をのさばらせなかった

冷戦の後半期、アメリカは、対ソ包囲網強化の観点から、同じ抑圧体制でありながら中国を特別扱いした。そこには、経済の「改革開放」が政治の民主化につながるはずという幻想もあった。それゆえ、本来ソ連とともに「歴史の灰の山」に落ちていくべき体制が生き残り、先進ファシズム国家へと成長した。ここで流れを逆転させなければ、冷戦の最終的勝者は中共だったということになりかねない。

中共独裁を突き崩す機会が、これまでなかったわけではない。一九八九年六月の天安門事件がその一つである。

当時の米大統領は、レーガンの後を襲ったジョージ・H・W・ブッシュ。ブッシュ（父）は安定を重んじるデタント派で、天安門事件からひと月を経ない六月末に、側近のブレント・スコウクロフト大統領安保補佐官とローレンス・イーグルバーガー国務副長官を極秘に訪中させた。高官同士の接触禁止という、発動したばかりの制裁に違反する行為だった。

血なまぐさい弾圧が続く中、「早期の関係改善が可能となる状況を共に作りたい」とする大統領メッセージを伝えたのである。ブッシュの頭に中国の体制転換はなく、いかに早く米中関係を「元の軌道」に戻すかに腐心した。

このとき、米大統領がレーガンであったなら、違った対応がありえただろう。先に触れたとおり、レーガン政権は、対ソ工作で中国と協力関係にあった。「レーガンの大統領期に、中国との秘密軍事協力は、以前には考えられなかったレベルまで拡大された」とピルズベリーは言う。

しかし、東欧で共産政権が次々に倒れ、ソ連崩壊がはっきり視野に入ってきた一九八九年時点となれば事情は大きく異なる。レーガンなら、天安門事件に際し、おそらく「自由の闘士」支援や対中制裁でより踏み込んだ措置を取ったであろう。

ピルズベリーは、「（天安門の）虐殺の後でも、そして中国の自由主義的改革派が粛清され、穏健派の主席が逮捕された後でも、ブッシュ大統領はまだかねてからの誤認に執着した」と書いている。そして自らについても、「私はまだ鄧小平や江沢民は真の改革派だろうと考えていた。ニセの改革派を支持し、真の改革派を事実上見捨てたことは、われわれを長く悩ます誤りとなった」と自省している。そして次のような提案を行っている。

（現在、中国の政府内では）間違いなく強硬派が多数を占めるが、周縁部にいまなお、よりアメリカ・モデルに近い中国を望む、誠実に改革と自由化を希求する者たちがいる。彼らはたしかに存在する。彼らを特定し、支援せねばならない（Michael Pillsbury, *The Hundred-Year Marathon*, 2015）。

ソ連では、ゴルバチョフの共産党書記長就任（一九八五年三月）という幸運があった。ニクソン、キッシンジャーら「リアリスト」は、ゴルバチョフ改革をシニカルに捉え、レーガンを「ナイーブ」と批判したが、グラスノスチ（情報公開）や政治犯釈放を決定的指標と捉えたレーガンの感覚は正しかった。

市場メカニズムの部分導入など経済の「改革開放」はデタント派が騙されやすい動きで、外部の支援を通じて先進ファシズム国家を育てることになりかねない。言論開放と政治犯解放がない中で、中国への投資をひたすら拡大したのは、ここ半世紀に自由主義国家群が犯した最大の誤りであった。全体主義体制が変わるかどうかのメルクマール（判断指標）はあくまで言論の自由化である。

国賓は普通選挙を条件とせよ

天安門事件後、日本は、天皇訪中によって中共の「国際復帰」を大いに助けた。いままた中共は、日米分断とイメージ改善のため、習近平の国賓訪日を実現させようとしている。

あまりに中国に深入りしたがゆえに、多くの日本の経営者は、中共の嫌がらせや資産没収を恐れて身動きが取れない。そうした財界の怯《おび》えを背景に、日本政府も、習近平国賓招待という宥和外交の旗を降ろせない。国会議員も大半は、彼らの唯一の行動原理たる「長い物には巻かれろ」に従い、何の意思表示もしない。

安倍首相が習近平と実務的な会談を重ねるのは一向に構わない。相手が極めつきのファシストであっても、適宜ビジネスライクに交渉し、意思疎通を図るのが政治家の役目だ。どちらも俗世界の澱《おり》にまみれた人間であり、改めて穢《けが》れを気にする必要はない。

しかし、国賓招待となれば、日本の伝統と文化を体現する天皇陛下が「心をこめたご接遇」を強いられる。宮中晩餐会で、習近平を褒め称える政府作成の原稿を否応なく読まされる。宮内庁のホームページにこうある。

国賓とは、政府が儀礼を尽くして公式に接遇し、皇室の接遇にあずかる外国の元首やこれに準ずる者で、その招へい・接遇は、閣議において決定されます。皇室における国賓のご接遇には、両陛下を中心とする歓迎行事、ご会見、宮中晩餐、ご訪問がありますが、両陛下はじめ皇族方は心をこめて国賓のご接遇をなさっています。

現代中国は史上最大のファシズム国家であり、したがって習近平は史上最大のファシストである。人権抑圧は習体制の下で一段と悪化した。二〇二〇年七月二三日には、ポンペオ米国務長官が、事実上中国の体制転換を呼びかけた重要演説の中で、習近平を、抑圧と覇権追求の張本人たる「破綻した全体主義イデオロギーの妄信者」と名指ししている。

世界が注視する中、そうした人物への最高の「おもてなし」を両陛下に強要することは許されない。かつて、ヒトラーと組んだ日独伊三国同盟で、日本の国際的イメージは地に堕ちた。その轍《てつ》を踏むことになりかねない。

誰を国賓とし、しないかの、より理念に即した線引きは難しくない。現在、国賓の要件は「国王、大統領又はこれに準ずる者」となっている。公賓（皇太子、王族、首相、副大統領又はこれに準ずる者）以下とは、皇居での歓迎行事、宮中晩餐が入る点で違う。

この国賓の要件に、「普通選挙の実施」を加えて、「普通選挙を実施している国の国王、大統領又はこれに準ずる者」に改めれば済む。

普通選挙で選ばれた大統領は、いかに論議を呼ぶ人物でも、その国の国民の意思を反映した存在である。政府の判断および責任で国賓招待を決定した上は、両陛下が温かい接遇をすることが、立憲君主国家日本の理念に叶う。

国会は、原則を確立するよい機会と捉え、「国賓は普通選挙実施国の元首に限る」とする国賓法を制定すべきだろう。

ところが政府中枢の一部から、妙な囁《ささや》きが聞こえてくる。いわく、「実は天皇陛下が中国訪問を希望されている。しかし日本としては、諸状況に鑑み、先に訪中というのは難しい。まず習近平国家主席が日本を訪れ、答礼として天皇陛下が訪中という形は取れないかと中国側に打診したところ、快く応じてくれた。習主席国賓訪日は実は中国側の配慮なのだ」と。

「天皇の意向」を盾に、保守派の反発を抑えようという意図らしいが、姑息《こそく》と言わざるをえない。国賓を決める責任はあくまで政治家にある。天皇を宥和外交に巻き込むことは許されない。一部の妄動とは思うが、記して一般の注意を喚起したい。

中国側があくまで習近平国賓招待という「約束を守れ」と要求してきた場合、日本政府にはっきり断る勇気はないだろう。一方、世論の大多数が反対意思を示した場合、それを無視する勇気もないだろう。結局一般国民の意識が事を決めることになろう。

経済界は日本に限らず、中共のハラスメントに強く抵抗できない。トランプも、経営者時代は、従業員の生活もかかっており、中国市場では中共の意向に沿うしかなかったと苦々し気に振り返っている。しかし、政治家は違うとも強調している。アメリカがリードして、国際連携で企業をバックアップすれば中共の不正と戦える。それが大統領を目指した最大の動機だという。

結語　新冷戦へ向けての日本の決断

日本政府の高官から、時々呆《あき》れるような言葉を聞くことがある。最近も次のような例があった。

中国の人権問題については日米でギャップがある。アメリカは相当突っ込んでいる。ヨーロッパ諸国と足並みを揃《そろ》えるぐらいがちょうどいい。国際世論、国内世論のこなれ方を見て対応したい。中国と仲良くするのは上手にやらないといけない。日米中は嫉妬《しっと》の世界だから。

まずここには、主体的に人権を考える姿勢がない。「こなれ方」という、一般国民を上から見下ろすような表現にもその姿勢が現れている。中共と「仲良く」していたいが、アメリカの「嫉妬」を買わないよう、見え方に注意する必要があるという発想も、いかにも心根が貧しい。アメリカの姿勢変化は「嫉妬」といった次元の話ではないことが分かっていない。

特にハイテク分野で、日本企業が中国進出をやめないことに疑問を呈したところ、政府高官から「幸いアメリカはまだ気づいていない」という言葉が返ってきたこともある。気づかれて、怒られてから考えようということか。

対立する米中の「橋渡し」という言葉もよく聞く。かつて鳩山由紀夫首相が日中を核とする「東アジア共同体」構想を掲げ、米側から同盟を蔑《ないがし》ろにするのかと凄《すご》まれて、「アメリカとアジアの架け橋になるのが自分の意図」と釈明に努めたことがある。しかし米側から、「架け橋などいらない。アメリカは自らアジアとの関係をコントロールできる」と一蹴された。無論その頃より、米側の対中認識ははるかに厳しくなっている。

もはや鳩山的発想は日本の政界から払拭《ふっしょく》されたと思いたいが、与野党幹部の言動を見ていると怪しまざるをえない。

二〇一九年四月、安倍首相の特使として訪中し、習近平を表敬訪問した二階俊博自民党幹事長は、会談後、「今後も互いに協力し合って一帯一路構想を進めていく。米国の顔色を窺《うかが》って日中の問題を考えていくものではない」と鼻息荒く語った。

一方二階が、「中国の顔色を窺って日米の問題を考えていくものではない」と語った例を知らない。中共の顔色は常に窺うが、露骨な嫌がらせをしてこないアメリカに対しては安心して虚勢を張るという、田舎の顔役めいた姿勢が情けない。

実は二階のこの「顔色」発言はアメリカの知るところとなっている。ワシントンの有力シンクタンク戦略国際問題研究所（CSIS）が、国務省の協力を得て、「日本における中国の影響」と題する報告書を二〇二〇年七月下旬に発表した。日本では、古森義久産経新聞ワシントン駐在客員特派員がいち早く紹介した。その中で右の二階発言が引用されている。

報告書は、結論としては、日本は中国の影響下に置かれることはないだろうとし、特に安倍首相が外務省チャイナスクール（中国語研修組。骨のある人もいるが、大使の座が見えてくると腰砕けになる例が多い。中国側の承認がないと赴任できないためである）の影響力を排して、官邸主導で媚中外交を正したことを評価している。

しかし、首相周辺の「二階・今井派」の動きに警戒心を示してもいる。二階と、安倍の最側近で経産省出身の今井尚哉《たかや》補佐官を指す。彼らは産業界の意向を受けて、常によりソフトな対中路線を安倍に取らせようとする存在と捉えられている。

先に、「幸いアメリカはまだ気づいていない」というある政府高官の言葉を紹介したが、甘いだろう。この報告書を見ても、米側はよく日本国内の動きを観察している。

「日米はグッドコップ（良い警官）とバッドコップ（悪い警官）の役割分担」という理屈でアメリカの理解を得ようという向きも政府内にある。習近平国賓招待も、しばしばこの比喩《ひゆ》で正当化されてきた。

机を叩いて中共を恫喝《どうかつ》する獰猛《どうもう》なバッドコップ（アメリカ）と、スッと肩を抱いてカツ丼を差し出す優しいグッドコップ（日本）が陰に陽にコンビを組むことで、バランスの取れた対中外交が展開できるという理論である。

しかし「グッドコップ、バッドコップ」はあくまで、犯人を、自白や改悛《かいしゅん》など意に添わぬ行動に追い込む戦術としてのみ意味がある。戦略性なきカツ丼提供は、ただ犯人の体力を回復させ、バッドコップの努力を損なうものでしかない。ハイテク分野での日本企業の対中協力など、その最たるものだろう。

自由主義陣営による、戦略物資を中心としたデカップリング（供給網からの中国外し）が基調となるべき「コロナ後」の世界では、グッドコップ日本という理屈付けはこれまで以上に通用しない。

一体、日米の姿勢の違いは何に由来するのか。トランプ政権および米議会は加速度的に中共への圧力を強めてきた。対立激化を辞さない姿勢の背後には、軍事力、金融力、エネルギー持久力、テクノロジー開発力を中心とした国力で中国に勝るとの自信がある。ありていに言えば、いざ戦争となったときに勝てるという自信である。だから相手は戦争を仕掛けられず、安心して締め付けて良いとなる。

日本も、国の「体幹」に当たる軍事力、エネルギー自給力などの充実を図らねば、中共の傍若無人に毅然《きぜん》と立ち上がる気力すら湧かないだろう。

「日本が攻められれば米国はすべての戦力を使って日本のために戦うが、日本は米国のために戦わなくてよい。日米安保は不公平だ」という度重なるトランプ発言に対し、日本政府高官は、「日本は基地の提供で米国の世界戦略に貢献しており、非対称ながら全体として義務のバランスは取れている。そうした安倍首相の説明にトランプ大統領も納得している」と答えるのを常とする。しかしトランプが納得していないのは明らかである。

例えば英国は、

（1）インド洋の英領ディエゴガルシア島を基地として米軍に貸与し、

（2）NATOの枠組みで相互防衛に参加し、

（3）秘密情報部（MI6）と米中央情報局（CIA）が緊密に連携し、情報収集だけでなく秘密作戦の実行でも協同する、

など米国と重層的な同盟関係を築いている。

基地を貸しているからバランスが取れているという議論は、日米同盟は重層性を欠くという告白に等しい。

「米国の世界戦略に貢献」についても、例えば石油シーレーンの防衛という「米国の世界戦略」からより多くの恩恵を受けているのは現在、日本であり、不公平の埋め合わせどころか、むしろその部分で不公平が拡大しているというのがトランプ的認識だろう。なお民主党左派は、米軍による石油シーレーン防衛そのものに否定的である（第4章参照）。

それでも安倍政権は、集団的自衛権の一部行使に踏み込んだ平和安全法制を成立させた（二〇一五年）。対して立憲民主党を中心とする野党は、いまだに同法制の廃止を唱えている。

もし、旧民主党政権が復活し、公約実行に乗り出したら、アメリカから強烈な反発が来るだろう。結局は、早々に公約撤回に追い込まれるはずである。公約違反に期待するしかないような政権を誕生させる余裕は日本にはない。日本が目指すべきは、「新冷戦」を勝ち抜くだけの意志と「体幹」を備えた強国である。

おわりに

一九四〇年七月三日、イギリス海軍が同盟国フランスの艦隊に総攻撃を加えた。アルジェリアのオラン近郊の湾に停泊していた船舶群だった。その二週間前、フランスはドイツに降伏し、ナチスの軍隊がパリに無血入城していた。そのためイギリスは、放置すればドイツ軍に使われかねないフランスの艦船を、先手を打って破壊したわけである。

手を挙げれば戦線離脱でき、平和に暮らせる、とはなかなかいかない。占領軍による暴虐と、同盟国からの攻撃の両方に晒《さら》される場合もある。

いまわれわれは日米同盟という言葉を当たり前のように使うが、中共側に付いたと見れば、アメリカは一転、日本を攻撃対象としてくるだろう。共に戦うから同盟国なのであって、相手の軍門に下った瞬間に敵となる。日米安保条約という一片の紙がまだ有効期間内かどうかなど意識すらされないだろう。そうした最悪の事態すらありうる厳しい時代に入ったという認識が、日本の政界や経済界に必要だ。

日本ではいまだに、「トランプの対中強硬姿勢は選挙を意識したもの」といった論評が少なくない。

この「選挙を意識」という言葉は、政治家を貶《おとし》めたいときによく使われる。しかし選挙を意識しなくてよいのは、習近平や金正恩のような独裁者だけで、民主国家の政治家なら当然、選挙を意識する。というより、「選挙を意識する人間」が政治家の定義そのものだ。政治家に「お前は政治家だ」と言っても始まらない。

批判されるべきは、①特定有権者層の「票を買う」ため長期的な国益を損なう場合、②言葉と行動が矛盾する場合、に限られる。

つまり、国益の毀損《きそん》や言行不一致まで踏み込んで論じて、はじめて政治家批判として意味を成す。

トランプはまもなく中国と無原則なディールに入ると多くの「識者」が言い続けてきた。しかし実際には、トランプは着実に中国に対する締め付けを強めている。「トランプは馬鹿だ」が口癖の評論家が多数いるが、それこそ何とかの一つ覚えだろう。

二〇一六年の共和党大統領予備選で、トランプと激しくやり合ったマルコ・ルビオ、テッド・クルーズ両上院議員ら、誰も「馬鹿だ」とは言いようのない優秀な政治家が、その後トランプの内政外交を高く評価するに至っている。トランプはレーガン以上とまで言う保守派の評論家も少なくない。

なぜそういう評価が出てくるのかを考えることが、トランプ論ひいてはアメリカ論の第一歩でなければならないだろう。本書がその点で多少なりとも貢献できていれば幸いである。

私はこの十数年来、国家基本問題研究所での意見交換から、多くを得てきた。櫻井よしこ理事長、田久保忠衛副理事長率いる国基研では、頻繁に内外のゲストを招き、活発な議論が展開される。官庁や特定企業をスポンサーとしない純民間の研究所としてますます存在感を増していると思う。櫻井理事長には、本書に推薦の辞を頂いた。感謝したい。

国基研は、国際シンポジウム出席など研究事業の一環として、アメリカ、インド、韓国、台湾などに訪問団を出してきた。二〇一一年には安倍晋三首相（当時は元首相）を中心とする有志議員グループと合同で訪問団を組み、インドを訪れている。私も参加したが、インド側の政治家や研究者と安全保障問題を論じるとなると、当然「中国の脅威」が主要テーマとなる。

このときは団の一部が、チベット亡命政府のあるインド北部のダラムサラまで足を延ばした。政治家では下村博文、山谷えり子両議員が同行した。ダライ・ラマやロブサン・センゲ首相などと意見を交わしたが、ここでも話題の中心はやはり中国だった。こうした海外活動で得た知見も本書に盛り込んである。

国基研の下部組織である朝鮮問題研究会（西岡力座長）の会合も常に知的刺激を与えてくれる。ここは韓国、北朝鮮研究のベテランが集う場所で、私はアメリカの政策について多少の情報を提供する以外は、もっぱら学生の立場で勉強に努めている。

歴史認識問題研究会（西岡力会長）は、いわれなき誹謗《ひぼう》から日本を守り、歴史戦に勝利するという明確な目的意識を持った研究機関である。私も役員の一人として、月例研究会に参加している。会と同名の紀要を発行しており、第1章のファシズム論はここに発表した論文を下敷きにした。

アメリカ政治を見る勘所については、ワシントン在住のジャーナリスト古森義久氏から多くを教えられてきた。夫人のスーザン氏にも訪米のたびにお世話になっている。

スーザン古森氏は、「拉致被害者を救う会」在米アドバイザーでもある。第5章でも触れたが、家族会、救う会、拉致議連は、これまで何度も訪米団を組み、ワシントンやニューヨークで米政府高官、議員、国連関係者、有識者などと意見交換してきた。私も救う会副会長の立場でたびたび参加している。

ボルトン氏とは、国務次官室、国連大使の応接室、彼が副所長を務めていたシンクタンクAEIの会議室などで何度も面談した。話はいつも明快で面白かった。彼が、トランプ批判の回顧録出版により保守派の多くを敵に回したのは残念だが、個人的にはいまだに立派な人物だと思っている。

中国が「極度に反中的」として二〇二〇年七月に入国禁止とした四人の政治家の一人、サム・ブラウンバック国際「宗教の自由」大使（元上院議員、元カンザス州知事）は最も早く知己を得た米議会人の一人である。同じく入国禁止とされたクリス・スミス下院議員は、横田早紀江さん（および私）が下院外交委員会で拉致問題について証言したときの共同議長だった。残る二人の「入国禁止組」はマルコ・ルビオ、テッド・クルーズ両上院議員。いずれも本書で繰り返し触れた政治家である。議員本人と直接話したことはないが、スタッフとは何度か意見交換している。

知日派の代表格、リチャード・アーミテージ元国務副長官、マイケル・グリーン元NSCアジア上級部長とも、訪米のたびに面談の機会を得てきた。アーミテージ氏が、「オバマ政権が米中定期協議を『戦略対話』と呼ぶのは不見識だ。戦略は同盟国の間で使う言葉だ」と指摘したのが印象に残っている。卓見だろう。

古屋圭司拉致議連会長と二人だけで数日間米議会を回ったこともある。上下両院で可決された、北朝鮮に拉致された疑いが濃いデヴィド・スネドン青年の真相究明決議は、「古屋決議」と言うべき面も持っている。原案作成段階から、米側の中心人物、クリス・スチュアート下院議員、マイク・リー上院議員と古屋代議士の間で内容について意見交換を重ねている。両議員とも保守派の論客として知られ、中国に対し非常に厳しい姿勢を取っている。

中国は過去に五、六度訪れた。福井県立大学の学術交流で訪中したのが最初だった。大変なバイタリティで世話を焼いてくれる好人物も多く、個人的接触の範囲では、中国人一般に悪印象はない。よく分からない生き物を随分胃に収めたが、いずれも旨かった。もっとも政治の話になると、多くの場合、全くかみ合わない。特に印象に残っているのは、驚くほど低次元のアメリカ陰謀説を唱える「研究者」が何人もいたことだ。

例えば、テロリストの搭乗が疑われる旅客機を米軍が撃墜し、極秘に処理されていると主張する。飛行機が落ちて数百人の乗客が亡くなりながら、関係者の誰も声を上げない、メディアが一切報道しない、政府のどこからも情報リークがないなど、アメリカではありえないと反論しても全く聞く耳を持たない。

話が通じないのは、相手がアメリカに自己を投影しているせいもあろう。中国では、共産党幹部以外の命は地球儀よりも軽い。情報統制も当たり前である。われわれが荒唐無稽《こうとうむけい》なプロパガンダと一蹴《いっしゅう》するたぐいの話も、体制側インテリは案外まじめに信じているのかも知れない。

一度、同僚教員の知り合いの中国人女性、李さん（仮名）が北京で日本語教室を開いたというので、通訳をしてくれたお礼に、私を含む数人が一時間程度、特別授業をしたことがある。ごみごみした古い雑居ビルの二階に教室はあった。若い人を中心に生徒は多かった。

授業後、李さんに「繁盛していますね」と言うと、突然表情を曇らせ、だから問題が生じているという。生徒が集まっていると聞いた地区の共産党幹部が、自分も同じビルに日本語教室を開き、入り口に大きな看板を出す一方、李さんの教室の看板は表通りから撤去するよう命じたという。中共の行動パターンを現地で垣間見た瞬間だった。

同僚数人と車で中朝国境まで行ったことも二度ほどある。一度は、鴨緑江に面した丹東《たんとう》市で、北朝鮮の岸近くまで行く遊覧船に乗った。川の中間にある国境線を超えるのが「売り」で、短時間ながら北朝鮮に入境したことになる。

岸を離れる前に船頭が、北朝鮮兵士には絶対にカメラを向けないよう念を押したが、ある乗客が、船が対岸に近づいたときに、無造作に写真を撮りだした。鋭い目つきの北の兵士たちが、一斉に立ち上がり、私は生きた心地がしなかった。もし北に接岸させられ、身元を調べられれば、北に批判的な文章を書いている私の場合、どうなるか分からない。一瞬、公開処刑の情景も浮かんだ。

幸い事なきを得たが、いま中国に行くことを考えると、このときの不安な心持ちが蘇《よみがえ》ってくる。かつては気楽に訪中していたのが嘘のようだ。習近平体制下で、中国は大きく悪い方に変わった。この本が出れば、ますます危なくて行けない。

最後になったが、本書の出版に当たっては、ビジネス社の唐津隆、佐藤春生両氏、編集者の宇都宮尚志氏に大変お世話になった。記して謝意を表したい。

●著者略歴
島田洋一（しまだ・よういち）
福井県立大学教授
1957年大阪府生まれ。京都大学大学院法学研究科政治学専攻修了後、京大法学部助手、文部省教科書調査官、2003年より現職。国家基本問題研究所企画委員・研究員。拉致被害者を「救う会」全国協議会副会長。著書に『アメリカ・北朝鮮抗争史』（文春新書）、共著に『日本とインド―中国封じ込めは可能か』（文藝春秋）、『新アメリカ論』（産経新聞出版）他多数。産経新聞「正論」執筆メンバー。

編集協力：宇都宮尚志

3年後に世界が中国を破滅させる

2020年9月1日　第1刷発行
2020年11月1日　第2刷発行

著　者　島田洋一
発行者　唐津　隆
発行所　株式会社ビジネス社
〒162-0805　東京都新宿区矢来町114番地
神楽坂高橋ビル5階
電話 03(5227)1602　FAX 03(5227)1603
http://www.business-sha.co.jp

カバー印刷・本文印刷・製本/半七写真印刷工業株式会社
〈カバーデザイン〉大谷昌稔　〈本文DTP〉メディアネット
〈編集担当〉佐藤春生　〈営業担当〉山口健志

ISBN978-4-8284-2208-4